GILLES CHAILLET

황제들의 로마

DANS LA ROME DES CÉSARS

저자 질 샤이에 ▪ 번역 정진국

길찾기

서 문

이 책의 저자 질 샤이에는 로마를 정말 사랑한다. 그에게 로마는 모든 도시 가운데 가장 매력에 넘치는 여왕이다. 로마 이야기를 할 때마다 샤이에는 떨리는 목소리로 눈을 반짝인다. 마치 무엇에 홀린 모습이다. 우리 친구들 누구나 잘 아는 사실이다. 샤이에의 뜨거운 로마 사랑은 절대 식지 않는다. 공허한 정념이 아니다. 샤이에는 사십년 동안 연구하고 기록하고 정리했으며, 독학으로 국립연구기관의 학자나 할 만한 방대한 자료를 수집했다.

샤이에는 뛰어난 만화가로 유명하다. 샤이에는 자크 마르탱이 글을 쓰고 자신이 그림을 그린 「알릭스」 같은 장편만화에서도 자신의 역량을 보여주었고, 원작을 해치는 법 없이 자기 작품을 그려내었다. 그리고 이제, 샤이에는 마침내 오랜 세월 무르익은 사랑으로 로마를 완전히 독차지해버렸다. 이번에는 글과 그림을 혼자서 했다. 화가이자 지식인으로서 바라본 로마를 한 권으로 버무렸다. 모든 열정을 여기에 쏟았다. 기나긴 짝사랑에서 해방된 셈이다. 매력으로 가득한 이 책에서 샤이에는 로마 사람들이 '쿠리오숨'이라고 부르는 역할을 맡았다. 여행자를 흥미진진한 로마 세계로 안내하는 사람이다. 이를 위해 샤이에는 플라비우스라는 화자를 내세웠다. 고대 로마에서 원로원 위원들을 배출한 명문가 니코마쿠스(Nicomachus) 집안 출신이다. 니코마쿠스 플라비우스는 서기 4세기의 실존인물로 아버지와 아들 모두 같은 이름이다. 샤이에가 허구로 설정한 주인공 플라비우스는 실존인물의 조부, 또는 증조부쯤의 시대 사람이다. 주인공 플라비우스는 아직 기독교를 인정하지 못하던 청년으로 서기 315년 로마를 방문한다. 315년은 콘스탄티누스 황제 즉위 10주년으로, 플라비우스는 황제의 비밀훈령을 받으러 가는 길이었다.

이런 배경 덕에 우리는 로마 시내를 자세히 들여다볼 수 있다. 샤이에가 로마시내 구석구석을 찾아간 뜻은 분명하다. 거리와 건물과 광장을 되살려내려고 했다. 그림 속에서 인물은 거의 등장하지 않는다. 그 대신 샤이에는 글에서 인물을 도시생활의 중심에 두었다. 주인공은 사람들의 됨됨이와 생활을 답파하고, 그윽한 향기를 맡는다. 뭐 물론, 낯선 냄새와 악취도 진동한다. 끝없이 소란스럽고 웅성대는 로마다. 마치 주인공이 아니라 저자의 육성으로 듣는 듯한 ("아, 꿀 섞은 살구 잼 맛이라니!") 글은 생생하기 그지없다. 그뿐만 아니라, 주인공의 발길을 따라가다 보면 수시로 여러 일화가 환상에 넘치는 영화처럼 펼쳐진다. 모든 이야기가 로마의 역사와 라틴 서사시에서 튀어나온 듯한 매혹을 풍긴다. 일화로서 즐기기에 가장 맛깔스런 내용이다.

주인공 플라비우스처럼 로마에 들어가는 사람들은 산 자를 만나기 전에 죽은 자들의 도시를 먼저 가로지른다. 우리는 이런 묘지를 거칠 때면 자연스레 인간의 조건을 되새기게 마련이다. 비석에 남은 글들이 이런 상념을 더욱 부추긴다. 또 살아 있는 우리에게 과거의 자리와 무게를 보여준다. 이런 불가피한 길을 거치면서, 묘지 복판에서 과거의 삶을 오늘에 되살린다. 우리는 이런 식으로 삶과 죽음이 얼마나 밀접하게 얽혔는지 절감하며 책 속으로 끌려 들어간다.

그 다음 장부터는 놀랍도록 생생한 묘사와 흥미진진한 설명이 샘처럼 솟아난다.

한편, 조금 우울한 기분도 든다. 이제 로마가 옛날이야기가 되어버렸다는 짙은 아쉬움에서 비롯한, 쉽게 받아들이기 어려운 감정이다. 더구나, 21세기 프랑스의 베이비붐 세대는 고대문화에 대한 교양이 몹시 부족하다. 그 또한 열정으로 극복해야 한다. 샤이에는 이런 열정을 나누고 싶어 했다. 로마의 세련된 별명은 '플로라', 즉 피어나는 꽃과 식물의 여신이다. 이 책을 읽으면 '로마(Roma)'라는 철자가 어느새 자리를 바꾸어 '아모르(Amor)'가 된다. 사랑이다.

로마는 활짝 핀 꽃처럼 사랑스럽다. 저자는 이런 눈으로 로마를 그려냈다. 세월이 가도 절대 시들지 않을 로마를 향한 궁극의 찬가를 불렀다.

베르트랑 랑송
브르타뉴 옥시당탈 대학 교수 (로마사 담당)
「고대 말기의 로마」의 저자

■ 저자: 질 샤이에 ■ 번역: 정진국
■ 주간: 박관형 ■ 편집: 정경찬, 김일철, 정성학 ■ 영업: 김정훈 ■ 발행: 이미지프레임 ■ 발행인: 원종우
■ 주소: [13814] 경기도 과천시 뒷골1로 6, 3층 ■ 전화: 02-3667-2654 ■ 팩스: 02-3667-3655 ■ 메일: edit01@imageframe.kr ■ 웹: imageframe.kr
■ 발행일: 2019년 7월 15일, 초판 1쇄 ■ ISBN: 979-11-6085-125-0 06920

Original Title : DANS LA ROME DES CESARS
Authors : Gilles Chaillet
ⓒ Editions Glénat 2004 by Gilles Chaillet - ALL RIGHTS RESERVED
Korean translation copyright ⓒ 이미지프레임, 2017

Published by arrangement with Editions Glénat
though Sibylle Books Literary Agency, Seoul

서기 4세기의 로마

단조롭고 쓸쓸한 대평원이다. '이탈리아 소나무'라는 잣나무 숲에 둘러싸인 언덕들이 눈에 띈다. 황토가 제멋대로 굽이치는 누런 강물에 떠내려와 미개지 기슭에 쌓이고, 그렇게 섬이 되었다. 소중한 소금을 너도나도 바다에서 이탈리아 내륙으로 실어 나르는 길도 뚫렸다. 거센 파도가 연안을 둘러싸는 야산지 대 라티움 땅이다. 알불라 강 주변의 산자락에 들러붙은 몇몇 고을들도 나타난다. 알불라 강은 섬을 끼고 돌아내려 가면서 티베리스 강이 된다. 여기에 터를 잡는 자가 이탈리아를 잡는 자다.

먼 옛날, 에트루리아 민족이 이곳을 장악해 신도시를 건설하면서 '루몬'이라고 불렀다. 티베리스 강의 옛 이름이다. 그러나 세월이 가면서 이탈리아 반도와 온 세계에서 로마로 부르게 되었다!

그로부터 11세기 후, 기원전 314년, '영원한 도시' 로마는 2천 헥타르로 크게 늘어났다. 인구는 거의 1백만에 달했다. 로마 주민 대부분은 천재지변을 수없이 겪었다. 재앙 못지않게 성가신 일도 많았다. 많은 구경꾼이 몰려들었기 때문이다. 구경꾼들은 큰 건물에 사람들이 어떻게 모여 사는지 궁금해했다. 로마는 세계에서 가장 인구가 밀집된 도시 아닌가. 훗날 시인들도 이런 모습을 눈을 크게 뜨고 바라보았다.

그런데, 놀랍게 한데 모인 기념비적 건물들은 너무 화려해 주민 대부분의 초라한 주택을 보면 놀라 자빠질 지경이다!

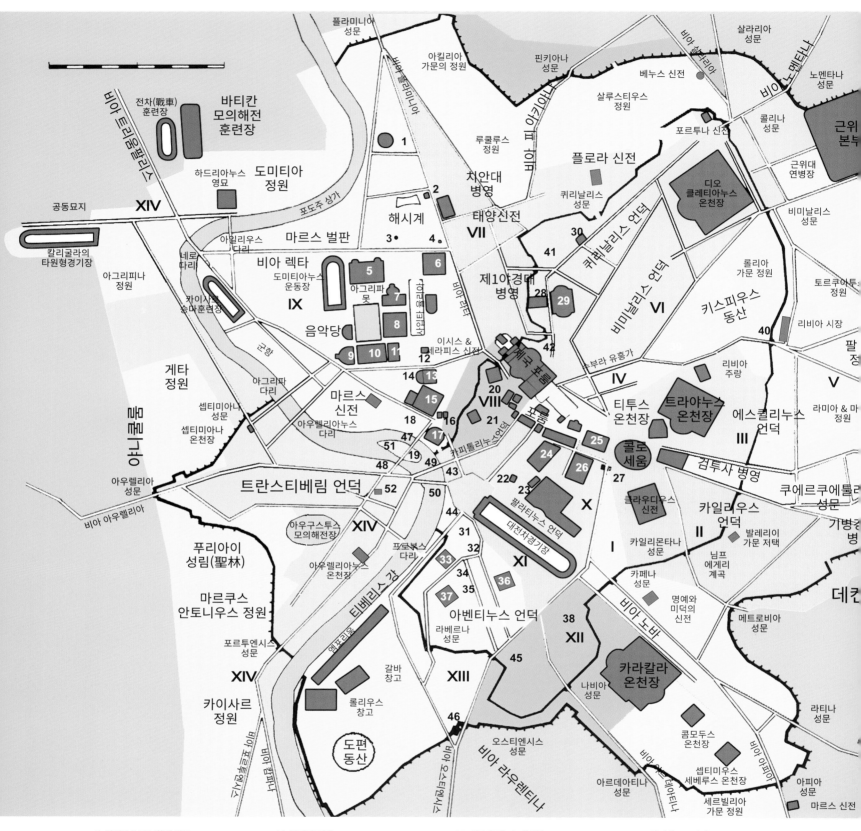

1. 아우구스투스 황제 영묘
2. 아우구스투스 평화의 제단
3. 경건제 안토니누스 Antoninus 기념주
4. 마르쿠스 아우렐리우스 기념주
5. 네로 온천장
6. 하드리아누스 극장
7. 판테온
8. 아그리파 온천장
9. 폼페이우스 극장
10. 폼페이우스 주랑과 원로원 회관
11. 4개 신전의 성역
12. 미누키아 주랑, 님프 신전
13. 발부스 극장

14. 필리피 주랑
15. 옥타비아 주랑
16. 아폴로 신전과 벨로나 신전.
17. 마르켈리 극장
18. 플라미니우스 타원형경기장
19. 아이스쿨라피우스 신전
20. 신용의 여신 유노 신전
21. 유피테르 카피톨리누스 신전
22. 키벨레 신전
23. 아폴로 신전
24. 티베리우스 신전
25. 베누스 신전
26. 엘라가발루스 신전

27. 콘스탄티누스 개선문
28. 세라피스 신전
29. 콘스탄티누스 온천장
30. 퀴리누스 온천장
31. 케레스 신전
32. 달의 여신 디아나 신전
33. 여왕 유노 신전
34. 아벤티우스의 다아나 신전
35. 미네르바 신전
36. 리키니우스 수라 온천장과 저택
37. 데키우스 온천장
38. 보나 데아 신전
39. 빛의 여신 유노 신전

40. 갈리에누스 개선문
41. 살루타리스 성문
42. 산쿠알리스 성문
43. 카르멘탈리스 성문
44. 트리게미나 성문
45. 라우두스쿨라나 성문
46. 카이우스 케스티우스 피라미드
47. 파브리키우스 다리
48. 케스티우스 다리
49. 아이밀리우스 다리
50. 수블리키우스 다리
51. 파우누스 신전
52. 보나 데아 신전

로마에는 12곳의 광장, 967곳의 공중목욕탕, 11개 대온천장, 19개의 수도교(水道橋)와 물을 받는 샘터 1,352곳, 37개의 성문, 아홉 개의 다리, 12곳의 대성전, 43개의 대리석 개선문, 누구든 드나들며 교양을 쌓을 수 있는 28개의 도서관, 원형극장 두 곳, 원형경기장 다섯 곳, 해전을 재현하는 두 곳의 모의해전장, 세 곳의 극장, 또 음악당과 운동장이 각각 한 곳씩 있다. 신전은 200곳에 달해, 제국 전체의 모든 신을 모신다. 위대한 애국자를 기리는 11개의 기념주, 두 개의 거대 입상, 22개의 황금기마상, 여기에 단순한 입상은 3,000점이 넘는다. 시내 구석구석의 무수한 장식 조각 외에도 80점의 황금신상이 곳곳에서 번쩍인다. 높이 솟은 '오벨리스크' 첨탑 6점은 로마의 속주 이집트에서 가져왔다. 26곳의 거대한 주랑은 드넓은 공원 한복판을 가로지르는 산책로. 그 길섶에 촛대와 수반, 분수와 입상이 즐비하다. 이렇듯 화려한 기념물들로 치장된 뒤안길에, 힘겹게 일하며 살아가는 로마가 있다. 병영은 22개소, 창고 355채, 국영 빵집 204개소, 기름집 2,300개소, 망측하게 장식한 화장실은 144곳이다. 주택가 322구역에 또 같은 수의 수호신들이 사거리 신당을 지킨다. '도무스'라는 가장 부유한 개인저택 1,790채, 그보다 못한 세입자 공동주택 46,602동, 공창 46곳이 있다. 공창에서 수많은 화류계 여자들이 활동한다. 여자들을 고용한 자들도 같은 건물에서 함께 생활한다.

　바로 이것이 서기 314년, 로마의 모습이다.

고대 로마의
모형. 이탈로
지스몬디 제작.
로마 문명박물관에
전시중이다.

　로마 시장이 행정을 총괄하는데 그 밑으로 식량 담당관과 야경과 치안 담당관이 있다. 수도교 전담 고관은 티베리스 강변을 관리한다. 수도의 살림을 전담하는 수많은 공무원은 대부분 해방노예 출신이다. 도로 정비는 노예가 한다.

　로마 제국은 크기가 서로 다른 14개의 지방으로 나뉘었다. 각 지방은 다시 4개 군으로 나뉜다. 각 군마다 '비쿠스'라는 간선도로가 관통한다. 비쿠스는 원래 소읍이라는 뜻이었다. 간선도로는 해마다 교대하는 관청에서 관리한다. '비코마기스트리'라는 관리는 모든 교차로마다 세운

로마와 황제의 입상을 숭배하도록 감독한다.

　314년, 제국 전체는 평화로웠다. 디오클레티아누스(Diocletianus) 황제와 콘스탄티누스(Constantinus) 황제의 강력한 대응으로 야만족은 국경에서 숨을 죽이고 있었다. 화폐도 안정을 되찾고, 경기도 무척 좋아 보였다.

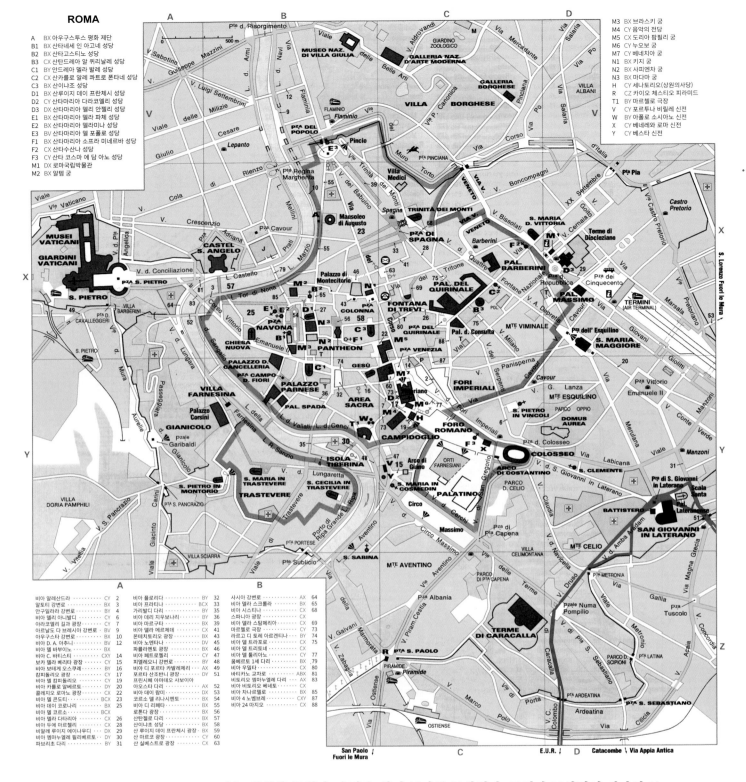

ROMA

A   BX 아우구스투스 평화 제단
B1 BX 산타녜세 인 아고네 성당
B2 BX 산타고스티노 성당
B3 CX 산탄드레아 알 퀴리날레 성당
C1 BY 안드레아 델라 발레 성당
C2 CX 산카를로 알레 콰트로 폰타네 성당
C3 CX 산이나조 성당
D1 DY 산루이지 데이 프란체시 성당
D2 CY 산타마리아 다라코엘리 성당
D3 CY 산타마리아 델리 안젤리 성당
E1 CY 산타마리아 델라 파체 성당
E2 CY 산타마리아 델라미나 성당
E3 BX 산타마리아 델 포폴로 성당
F1 CY 산타마리아 소프라 미네르바 성당
F2 CX 산타수산나 성당
F3 CY 산타 코스마 에 담 아노 성당
M1 DX 로마국립박물관
M2 CY 알템 궁

M3 BX 브라스키 궁
M4 CY 음악의 전당
M5 CX 도리아 팜필리 궁
M6 CY 누오보 궁
M7 CY 베네치아 궁
N1 BX 키지 궁
N2 BX 사피엔차 궁
N3 BX 마다마 궁
H   CY 세나토리오(상원의사당)
R   CZ 카이오 체스티오 피라미드
T1 BY 마르첼로 극장
V   CY 포르투나 비릴레 신전
W   BY 아폴로 소시아노 신전
X   CY 베네레와 로마 신전
Y   CY 베스타 신전

A				
비아 알레산드라	CY 2	비아 플로리다	BY 32	사시아 강변로	AX 64
알토티 강변로	BX 3	비아 프라타나	BCX 33	비아 델라 스크롤라	BX 65
안구일라라 강변로	BY 4	가리발디 다리	BY 35	비아 시스티나	CX 68
비아 델리 아니발디	CY 6	비아 데리 지우보나리	BY 36	스페리아 광로	CX
아라코엘리 길과 광장	CY 7	비아 마르구타	BX 39	비아 델라 스칼레리아	CX 69
아르날도 다 브레시아 강변로	BV 9	비아 델라 에르체데	CY 41	마르첼로 극장	BY 73
아우구스토 강변로	BX 10	몬테치토리오 광장	CY 43	라르고 디 토레 아르젠티나	BY 74
비아 D. A. 아추니	BY 12	비아 노멘타나	DV 45	비아 트라포르로	CX 75
비아 델 바부이노	BX	파롤라멘토 광장	CY 46	비아 트리부날리	BX
비아 C. 바티스티	CXY 14	비아 페트로첼리	CY 47	비아 델 틀리아노	CY 77
보카 델라 베리타 광장	CY 15	피옐라모니 강변로	BX 48	움베르토 1세 다리	BX 79
비아 보테게 오스쿠레	CY 16	비아 디 포르타 카발레제리	AX 49	비아 우발타	CX 80
캄피돌리오 광장	CY 17	포르타 산조반니 광로	DY 51	바티카노 교차로	ABX 81
비아 델 킨피둘리오	CY 19	프린시페 아마데오 서보이아		비토리오 엠마누엘레 다리	AX 83
비아 카를로 알베르토	CY 20	아오스타 다리	AX 52	비토리오 에마누엘레 베네토	CX
콜레지오 로마노 광장	CX 22	비아 데이 괌미	BX 53	비아 차나콜로	BY 85
비아 델 콘도티	BCX 23	코르소 델 리나시멘토	BX 54	비아 델 노벰브레	CXY 87
비아 데이 코로나리	BX 25	비아 디 리페타	BX 55	비아 24 마지오	CX 88
비아 델 코르소	BCX	로톤다 광장	BX 56		
비아 델라 다타리아	CX 26	산탄젤로 다리	BX 57		
비아 두에 마첼리	CX 28	산이나조 성당	CX 58		
비알레 루이지 에이나우디	CX 29	산 루이지 데이 프란체시 광장	CY 60		
비아 엠마누엘레 필리베르토	DY 30	산 마르코 광장	CY		
파브리초 다리	BY 31	산 실베스트로 광장	CX 63		

로마는 영원할 듯했다. 수많은 신이 로마를 보살폈다. 그러나 보살핌이 지나쳐 보이는 신도 있었다. 바로 기독교의 하나님이다. 아직 신도는 많지 않은 신앙이지만, 콘스탄티누스 황제는 기독교의 튼튼하고 잘 짜인 조직을 지지기반으로 삼고자 그 예배를 두둔했다. 황제는 315년, 십자가에 매달려 죽은 신의 명예를 기리는 첫 번째 대공사에 착수했다. 로마 군주이자 주교가 라테라노(Laterano) 대성당의 초석을 놓았다. 그 뒤를 이어 성자 베드로와 성녀 아녜스의 성당도 지었다. 이 성당들 모두 과거 이교도 성소보다 훨씬 더 거대하다.

고대 건축의 마지막 걸작, 콘스탄티누스 황제의 개선문은 314년에 완공되었다. 그 측면에 3세기에 걸친 걸작조각들이 붙어 있다. 이때부터 로마는 거대한 전환기를 맞는다. 정부는 콘스탄티누스 황제가 보스포로스 해협 연안에 콘스탄티노플(오늘날의 이스탄불)을 건설해 그곳으로 천도했다. 옛 수도 로마는 교황이라 부르게 될 인물에게 맡겼다. 그로부터 영원의 도시 로마는 2세기 동안 더 고대세계로 지속된 끝에 중세로 접어든다.

프롤로그

내 이름은 플라비우스. 아르차의 싸구려 여관에 들었지만 잠이 오지 않는다. 옷 속에 숨겨둔 귀한 문서를 강탈당하면 어쩌나 걱정이 태산이다. 꿈의 신 모르페우스(Morpheus)가 부른들 잠이 올까. 어쨌든, 이 순례기를 읽을 독자에게 솔직해지고 싶다. 내 몸과 마음은 완전히 들떴다. 이제 몇 시간 뒤면, 영원한 로마로 들어간다…. 풍자시인 마르티알리스(Martialis)가 노래한 대로 '그 어디와도 비할 수 없고, 감히 겨루지 못할 도시, 온 세상, 모든 민족의 여신 같은 도시'로! 마침내, 수많은 밤을 뒤척이며 그리던 신성한 로마의 매력을 맛볼 테지!

우리 아버지 쪽 친가는 툭하면 그리스 출신이라고 자랑한다. 우리는 니코마코스(Nicomachus, 아리스토텔레스의 혈통) 가문의 교양을 뽐내고, 고대 종교 공부에 열을 올렸다. 어머니 쪽, 외가는 이탈리아 출신이다. 클라우디우스 총독 시절의 식민지 보스포로스 해협의 유럽 연안, 헤라클레아(Heraclea)에 정착했다. 외가의 조상은 고장의 명마를 키워 꽤 큰돈을 벌었다. 그 자금으로 '페르펙티시무스(perfectissimus)'라는 명예로운 지위에 올랐다. 나도 조용한 그 소도시에서 미지의 먼 수도 로마를 그리워하며 자랐다. 나는 총독 대리와 함께 트라키아(Thracia) 속주 행정에 참여했다. 매우 엄정한 업무였지만 영웅 헤르쿨레스(Hercules)의 고난을 생각하며 무난히 해냈다.

이 글을 처음 쓸 무렵, 세계제국은 둘로 쪼개졌다. 서로마의 운명을 거머쥔 콘스탄티누스 황제는 줄곧 선정을 베풀었다. 그러나 리키니우스 황제는 동로마를 폭정으로 틀어쥐었다. 우리 속주는 그의 관할권이라 숨이 막힐 지경이었다. 사무실로 주민들이 달려와 하소연하는 날이 하루이틀이 아니었다. 5월 어느 날 저녁, 궁전에 잠입했던 어떤 사내가 심각한 소식을 전했다. 콘스탄티누스 황제께 전할 급보가 있는데, 꼭 믿을 수 있는 전령을 보내야 한다며 내게 부탁했다.

이렇게 로마력 1067년(서기 314년) 6월, 나는 이탈리아 남부 브룬디시움 항(오늘날의 브린디시)으로 들어왔다. 바로 열흘 전이다. 브룬디시움은 유명한 제국 도로 '비아 아피아'(Via Appia)의 종점이다.

비아 아피아

트라키아 총독 대리에게 받은 소개장 덕에 나는 한 시민의 집에서 환대받을 수 있었다. 제국 어느 지역에서나 귀족은 이런 식으로 여행한다. 그물처럼 깔린 인맥으로 가는 곳마다 길가의 지저분한 숙박업소를 피할 수 있다. 불운한 사람들은 별수 없이 벌레들이 득실대고 악취에 쩐 주막의 한심한 공동침실에서 묵어야 한다. 게다가 이런 주막에서는 다시는 보고 싶지 않은 자들이 물을 술값에 판다!

1. 황혼녘의
비아 아피아

2. 로마 변두리

브룬디시움에서 며칠을 보냈다. 나를 반기던 집주인은 푸짐한 해물로 저녁을 차려내었고 우리는 정답게 담소했다. 그는 내게 거리가 표시된 약도를 구해주었다. 각 도시와 고을이 적혀 있는 요긴하고 정확한 길잡이였다. 심지어 숙박할 곳의 종류와 구간까지 적혀 있다.

나는 관료의 자격으로 매일 저녁 제국 역참에서 신세를 졌다. 역참은 약 3km마다 설치되어 있다. 비록 포근한 잠자리를 기대하기 어렵지만 적어도 날강도 걱정 없이 눈을 붙일 수는 있었다.

역참 주방에서는 마실 만한 막포도주에 신통치 않은 식사를 내놓는다. 이곳에서 그다음 역까지 말을 바꿔 마차에 맬 수 있다. 물론, 브룬디시움 만큼 편하지는

않았다. 하지만 매일 아침 든든한 준마처럼 거뜬히 다시 길에 오르곤 했다.

여로가 다 끝날 때쯤에야 알게 된 사실이 있다. 신의 가호로 무사했겠지만, 안전을 확보하려면 여럿이 함께 다녀야 한다. 혹시 불운과 재난이 닥칠지 모르므로 몽둥이로 무장한 사람들과 함께 해야 하는 것이다. 그런데 나는 이런 것도 모른 채 다녔다….

가난한 사람들은 걷다 다리를 다치지 않도록 조심해야 한다. 노새를 타고 다니는 사람들도 있다. 갈리아 족은 다리가 튼튼하기로 유명하다. 농부들은 무겁고 느려터져서 줄곧 가다 서기를 반복하는 형편없는 수레를 타고 다닌다. 유복한 사람들은 요란하게 치장한 채 힘센 황소들이 끄는 화려한 포장 수레를 타고, 그 안에서 먹고 잔다. 일가족을 태우고 다니기도 한다. 그들은 방석에 나른하게 기댄 채, 커튼 사이로 밖을 내다보며 여행한다.

동행하는 일행 가운데 카푸아(Capua) 출신의 상인으로 벼락부자가 된 비베리우스 메로라는 사람이 있다. 메로는 매사에 서사시인 루카누스(Lucanus)를 들먹여 주변 사람들 모두 지겨워했다. 메로는 달리는 마차 위에 시간과 거리를 알리는 장치를 설치했다. 콤모두스(Commodus) 황제도 풍경을 더 잘 감상하려고 전용 사륜마차에 돌아가는 회전의자를 붙였고, 상습도박꾼이던 클라우디우스(Claudius) 황제는 도박판을 붙박이로 싣고 다녔다!

우리는 챙이 넓은 밀짚모자를 썼지만, 무자비하게 쏟아지는 햇볕에는 전혀 소용이 없어서 지친 채 천천히 이동했다. 비베리우스 메로의 몸종은 손을 저어 바람을 일으키는 시늉으로 벌떼를 쫓았고 또 다른 몸종은 주인 머리에 향료를 뿌려 답답한 분위기를 덜어보려 했다. 모두 묵묵히 말이 없었다. 메로도 이불을 뒤집어쓴 채 말 한마디 하지 않았다. 이렇게 바람에 삭막해진 아풀리아(Apulia) 지방의 흙먼지 투성이 풍경을 가로지르다 함께 가던 마차가 갑자기 뒤집혔다. 약한 굴대가 결국 버텨내지 못하고 부러졌다. 승객들의 환호에 우쭐대던 장사꾼 메로는 수호신에게 버림받고 체면을 구겼다. 메로의 두꺼운 입도 이제 더는 루카누스의 시를 중얼대지 못했다.

보통 여행자라면 부지런해도 하루 12km가량 이동한다. 그래서 다음 파발까지 해가 지기 전에 들어가려고 더욱 길을 재촉했다. 다행히 말은 잘 달렸다.

1. 로마 근교

2, 3. 다양한 탈것을 보여주는 석관

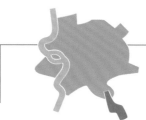

어두운 삼니움[고대 로마, 아펜니노 산맥의 남부 지역. 지역 부족은 삼니테스 Samnites 족. 삼니테스 족은 로마와 전쟁에서 패해 로마에 동화되었다.] 지역을 지나고부터 을씨년 스런 폼티누스(Pomptinus) 늪지에 뻗은 대로로 접어들었다.

로마 남쪽 60여 km 지점에 5m 높이의 말뚝을 숲처럼 박아 세운 긴 둑길이다. 고대 역사가 플리니우스(Plinius)는 이 거대한 공사를 기적이라 했다. "마치 헤르쿨레스가 다시 나타나 아피아 가도의 어마어마한 화산암을 떠받칠 비탈을 들어 올려 둔덕을 쌓은 것 같다."

역사가들은 아피아 가도야말로 가장 오래되었다고 장담하며, 저명한 감찰관으로 도로의 건설을 주도한 아피우스 클라우디우스를 칭송한다. 탄탄히 기초를 다지고 물이 쉽게 빠지도록 가운데를 조금 돋아 올린 길이다. 제국 전역에 세운 4천 곳의 역참으로 안전하게 이어지는 길은 총 길이가 10만km 가량이며, 너무나도 훌륭한 포석을 깔았으므로 백 년에 한 번이나 보수하면 그만이다. 로마 사람들은 정말로 '도로'를 발명했다. 그리스 사람들은 우물도 대피소도 없이 보행로나 닦았다. 아리스토파네스는 자기 희곡에서 "쉬어갈 곳조차 없는 이런 도로라니, 휴가 없는 생활과 뭐가 다를까!"라고 한심해 하지 않았던가.

로마 부근의
비아 아피아

1천 보마다(1,472m) 서 있는 이정표를 보면 로마에 가까워졌음을 알 수 있다. 영원의 도시로 들어가기 전, 마지막 구간의 종점인 소읍 아리차가 안개 속에 흐느적대고 있었다. 저녁 햇살이 달의 여신 디아나(Diana)를 모신 고대신전의 해묵은 기왓장을 금빛으로 물들였다.

나는 역참을 찾지 못해 형편없고 야비한 식당에서 배를 채웠다. 물론 부근에서 빚은 소박하고 상큼한 백포도주가 있었지만 얼마나 비싼지! 그래도 이른 아침부터 주정뱅이와 건달이 우글대는 그곳을 빠져나오니, 잠시나마 잃어버릴 뻔했던 시간을 되찾은 듯해 천만다행이었다!

길은 이미 붐볐다. 그 길에 새로운 길동무가 생겼다. 아리차의 대지주가 로마까지 동행하자고 했다. 자기도 볼일 때문에 가는 길이라고 했다. 대지주는 조각처럼 미끈한 얼굴에 백발이었고, 떡 벌어진 체격은 대리석 조각으로 영원히 남은 고상한 로마 사람들의 모습 그대로였다. 이름은 실비우스, 언덕 위 멋진 저택의 주인이다. 농토도 200헥타르나 갖고 있다. 화려한 마구만 보아도 그는 허풍쟁이가 아니었다.

아피아 가도의 길가에 거칠면서도 고운 풍경이 펼쳐진다. 넓은 평야에 시커먼 삼나무들이 점점이 솟아 있고, 이따금 잣나무들로 둘러싸였다. 나무는 드물고, 풀은 벌써 햇볕에 붉게 그을렸다. 처음 나타난 동산 자락에는 해묵은 올리브나무들이 줄을 잇는다. 땅바닥에 납작하게 자라나는 풀밭에서 양 떼가 열심히 풀을 뜯는다. 수평선에서 아침 안개 사이로, 알바누스(Albanus) 산줄기가 푸르스름하게 드러난다. 벌써 덥다.

실비우스는 기름진 땅을 가꾸려고 사람들 고생이 심했다고 한다. 태고부터, 사람들은 물을 댈 좁은 지하

1. 비아 아피아
주변의 정원 풍경

2~4. 비아 아피아
길가의 묘지들

1. 비아 아피아
길가의 유적

2~3. 오스티아
납골당.
직인조합원을
위한 공동묘지의
전형이다.

수로를 팠고, 이후 로마 변두리 시골로 줄줄이 뻗은 수로를 끝없이 건설했다. 하지만 지금은 물이 넘치니 농부는 옛 수로에 무심하다. 이탈리아에서 각 지방마다 경쟁에 시달리면서, 라티움 지방의 농부는 곡물과 기름 생산을 접고 토끼풀과 개자리를 심어 넓은 들을 인위적으로 조성했다.

로마가 가까워질수록, 수지 맞는 소비시장 때문에 시골은 수없이 잘게 쪼개져 거대한 텃밭으로 변했다. 농부들은 악착스럽게 과일과 채소를 키운다.

공화정 말기에 루쿨루스 장군이 소아시아에서 버찌 나무를 들여왔다. 접목도 할 줄 알았다. 나와 함께 여행하는 사람의 말마따나 역사가 플리니우스도 나뭇가지마다 서로 다른 열매가 열리는 나무를 보았다지 않은가! 플리니우스는 살면서 정말 본 것도 많다.

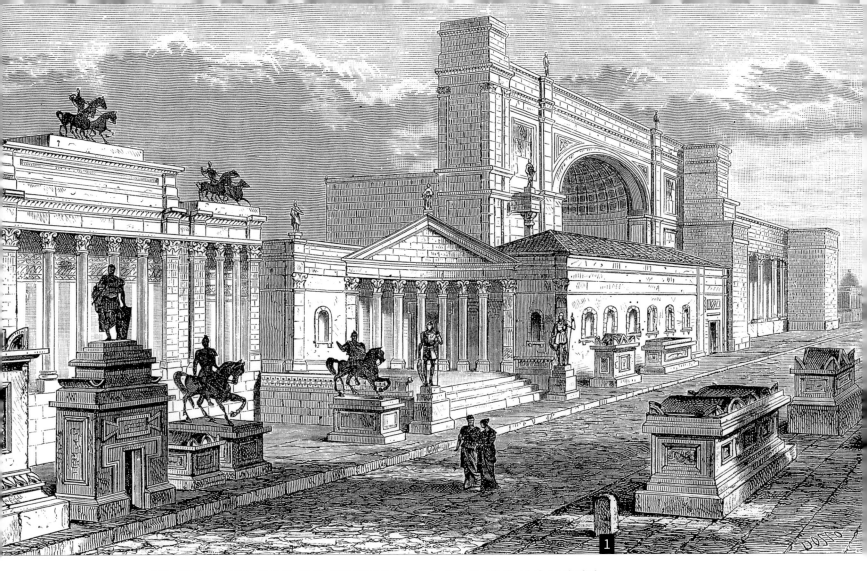

가끔, 작은 숲 위로 위대한 시인 베르길리우스(Vergilius)가 「농경지」에서 묘사했던 그림 같은 전원처럼, 누렇고 불그스레한 기와지붕이 짙은 선을 드러낸다. 그 밑으로 어떤 사내가 채소 바구니를 나귀 등에 걸고 성내로 들어가려고 길을 나선다. 사내는 내일, 도회지 소식을 이웃에 전하고, 공연장에서 아낙네들이 보고 배워 흉내 낸 머리 모양을 놀리지 않을까….

더위가 기승을 부린다. 한 사내가 나무그늘에서 심벌즈를 두드리며 찰흙을 칠한 나무껍질 통으로 벌들을 유인하려 했다. 꿀을 흘리지 않으려면 그렇게 해야 한다. 그 순간 나도 모르게 놀라 질겁해 소리를 질렀다. 특별히 여성전용 수레에 타고 있던 처녀가 우리를 따라 웃어 웃음바다가 되었다. 실비우스는 여자가 수레를 타고 다니면 되겠냐며 못마땅해했다. 베르길리우스의 동료 시인 프로페르티우스(Propertius)는 자기 노래의 주인공 퀸티아(Cynthia)가 "수레를 타고 실을 잣는다"[애인이던 여자가 다른 사내를 유혹한다는 뜻]고 한탄했다. 4백 년도 전의 일이다. 그렇게 오랜 세월 뒤에도 세상 사람들은 옛 풍습을 버리지 못한다.

율리우스 카이사르의 조상이 살았던 보빌라이 고을을 지나자 이정표가 나타났다.

로마까지 16km 남았다. 묘들이 두 줄로 늘어섰다. 처음에는 드문드문하더니 차츰 촘촘하게 길가를 따라 쭉 이어진다. 종교 관례에 따라 위생상 시내에는 시신을 묻지 못한다. 그래서 묘지가 길가에 엄청나게 늘었다. 주거부정자들과 매춘부들의

1~2. 퀸틸리우스 장원의 님프 성소. 과거의 동판화와 남아 있는 유적.

묘에 안치하는
석관은 화려한
조각들로
장식된다.

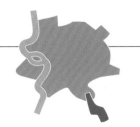

지역이다. 아무튼, 아피아 가도는 세계에서 가장 큰 묘지를 가로지른다. 수많은 유해가 수 세기 동안 그 자리를 지켰다. 놀란 여행자 앞에서 로마의 모든 역사가 펼쳐진다. 거대한 제국에 걸맞은 인상 깊은 무대다. 장식과 비문을 새긴 벽돌과 대리석 영묘들, 신당과 열주와 입상을 삼나무들이 굳건히 수호한다. 절대 죽지 않는 대리석과 녹음이 조화롭게 어우러진 세계의 환상이다!

1~2. 비아 아피아
길가의 묘

3. 일라이우스
프리스쿠스
묘의 세부

직인들, 혹은 노예들도 사후에도 다시 함께 살겠다고 다짐하면서 납골당을 구입해 한자리에 모였다. 수백 개의 벽감 유골함이 납골당 안에 들어앉았다.

묘는 수수하기도 하고 거대하기도 하다. 형태가 다양했다.

가장 오래된 묘들은 원통형인데, 에트루리아식으로 그 위에 삼나무를 심었다. 전설에 따르면 5천 년 전에 호라티이 족과 쿠리아티이 족(Horatii, Curiatii)은 묘를 자신들이 쓰러져 죽은 자리에 세웠다고들 하는데, 그 묘가 바로 이런 형식이었다. 피라미드 형태로 묘를 지은 사람들은 제국 초기에 이미 이집트의 피라미드 형식을 모방했다. 작은 판테온을 닮은 무덤들도 제법 많다.

망루처럼, 또는 2, 3층으로 높이 올려 신전과 비슷하기도 하다. 아무튼, 어느 무덤에든 정면에, 가족과 나란히 초상을 새겨 영원히 함께 묻혔다.

갈리에누스 황제(Gallienus)의 영묘를 지나 지방 속주 총독을 지낸 베라니우스의 묘소 맞은편으로 이 지역의 수호신이자 숲의 신인 실바누스(Silvanus)에게 바쳐진 우아한 신당(神堂)에 조금 시원한 그늘이 있다. 신당 오른쪽에 수도교의 무지개 꼴 교각이 보인다. 그 다리로 티베리스 강 상류 아니오 강의 물을 퀸틸리우스 형제의 거대한 장원에 댄다. 아피아 가도를 따라 뻗은 궁전 같은 대장원이다. 비참하게 죽은 형제의 별장에는 샘이 솟는 동굴과 원형경기장이 있다. 형제의 어마어마한 영지를 탐낸 콤모두스 황제는 형제를 역모로 몰아 처형하고 나서 재산을 몰수했다. 묘가 늘어선 쪽더 너머로도 또 다른 저택들이 푸른 녹음 속에 편안히 숨어 있다.

1

그때 정말이지 시끌벅적한 소리가 들렸다. 로마에서 오는 운구 행렬이다. 시골 귀족을 매장하러 들어오는 길이다. 장의사들이 준비한 화려한 장례식이다. 사치스러우며 핀잔받는 사업이다.

행렬의 선두는 피리와 폭음을 터트리는 긴 나팔인 '티비아'를 불어대는 악사들이 이끈다. 밀랍 가면을 쓴 들러리들은 고인의 조상이 함께한다는 상징인데, 이는 귀족만 누리는 명예다. 이들은 군중에게 잘 보이도록 높은 가마에 누워 실려 간다. 머리가 터져라 울부짖으며 통곡하는 여자들이 뒤를 뒤따른다. 틀림없이 두둑한 보수를 받았겠지만, 곡소리는 정말 구슬프다! 여자들 뒤를 따라오는 10여 대의 수레에는 고인의 삶에서 가장 훌륭한 업적을 재현한 그림을 걸었다.

1. 비아 아피아 길가에 늘어선 묘들. 가장 큰 것이 카이킬리아 메텔라의 영묘다.

2. 카이킬리아 메텔라 영묘의 현재 모습

속간[束杆. 도끼 둘레에 채찍을 다발로 엮은 것. 집정관의 권위와 현대이탈리아 파시즘의 상징물]을 든 검은 상복 차림의 하급관리들이 앞장을 섰다. 장례용 들것을 둘러싸고 향로를 받든 사람들은 시신을 밤에 매장하던 시대의 기억을 되살린다. 아무튼, 요즘도 이교도들은 죽은 아이들을 어두울 때 매장한다. 사람들은 아이의 죽음을 신들의 처벌로 여긴다. 그래서 대낮에 장엄한 장례를 치르지 않는다. 신들의 뜻에 거스를 수는 없으니까…

2

얼굴만 드러낸 고인의 시신은 꽃으로 수놓은 매트 위에 누워 있다. 가족이 그 뒤를 따른다. 남자들은 화려한 장의를 걸치고, 여자들은 소박한 드레스를 입고 머리를 풀어헤친 모습이다. 역사가 폴리비오스(Polybios)는 어느 날인가 장례식에 참석했다가 이렇게 외쳤다.

"영광과 덕에 굶주린 청년이라면 이보다 더 멋진 광경을 어디에서 찾을까!"

갑자기 음악과 통곡 소리가 그쳤다. 그러더니 곧 시인이 조사를 우렁차게 읊는다. 피를 얼어붙게 하는 주검의 노래다. 그와 동시에 춤꾼들과 마임 광대 무리가 고인을 슬쩍 조롱하며 튀어나오자 지켜보던 문상객들이 모두 배꼽 빠지게 웃음을 터트렸다. 로마 사람들은 장지에서도 신랄한 유머를 참지 못한다. 이는 오랜 전통이다. 베스파시아누스(Vespasianus) 황제는 황천길에 갈 때도 맥주에 취해 있었다. 괴상한 행색의 광대가 황제의 얼굴을 닮은 가면을 쓰고 인색하기로 유명한 황제를 비웃으며 비

틀거리는 거동을 흉내내지 않았던가? 황제가 고인이 되어 더는 듣지 못했으니 그나마 다행이지!

행렬이 가족묘소 앞에 도착하면 고인의 친지는 고인의 눈꺼풀을 열었다가 다시 닫아주며 작별을 고한다. 묘소에는 고인을 위해 음식을 올린다. 음식은 거대한 대리석관에 시신을 입관하고 마지막으로 작별하기 직전에 차려낸다. 요즘은 기독교의 영향으로 더는 화장을 하지 않는다. 화장은 거의 사라진 풍습이다. 묘의 주변 땅은 노예들이 경작하고 벌어들인 소득을 조상숭배에 유용한다. 유족은 해마다 고인의 기일에 정자 밑에 모여 추모한다.

시가지는 변두리에 비해 짜임새가 훨씬 더 두드러진다. 선술집, 관청, 그릇 공방이 묘지 뒤쪽으로 뚫린 길을 따라 들어서 있다. 잠시 후, 성처럼 높은 카이킬리아 메텔라의 영묘가 나타났다.

카이킬리아 메텔라는 율리우스 카이사르의 정계진출을 후견했다. 카이킬리아 메텔라는 로마 제국 최고의 거부로서 스파르타쿠스 봉기를 진압해 유명한 마르쿠스 크라수스의 아들 푸블리우스 크라수스 장군의 부인이다. 카이킬리아 메텔라는 훗날 집정관 폼페이우스와 재혼했다.

메텔라의 영묘를 지나고부터, 아피아 가도는 '지하묘지 터'라는 분지를 따라 길게 이어진다. 이곳에 3세기 동안, 로마에서 가장 거대한 지하묘지가 들어섰다. 이교도와 기독교도의 묘가 나란히 끝없는 회랑처럼 이어진다. 교황 칼리스투스 1세(Callistus)는 교황이 되기 전, 묘소 관리책임자 시절에 갖고 있던 주변 땅에, 충복이던 신도들을 위해 새로 지하묘소를 파게 했다.

맞은 편 둑길 너머로 기막히게 웅장하고 높은 건물이 보였다. 화려한 공원 한복판에 1만 명의 관중을 수용하는 방대한 타원형 전차경기장이 들어서 있다. 아피아 가

카이킬리아 메텔라
영묘로 통하는 비아
아피아.
저자의 상상화.

도의 길가를 둥근 영묘들이 에워싼다. 관리를 하지 않아 통로와 계단식 관중석에 잡초가 무성하다. 실비우스의 이야기로는 사실상 이 경기장은 사용한 적이 없었다고 한다. 콘스탄티누스 황제와 경쟁하던 막센티우스(Maxentius) 황제가 대중의 인기를 만회하기 위해 대규모 공사를 벌여 지었다. 그러나 콘스탄티누스는 밀비우스 다리에서 벌인 전투에서 막센티우스가 패해 도망치다 강물에 빠져 죽은 이래 건물을 방치했다.

1~2. 막센티우스 전차경기장. 계단 좌석 뒤편 높은 곳이 시내 방향이다.

두 세기 전, 하드리아누스 황제 치세에 아테네 출신 헤로데스 아티쿠스(Herodes Atticus) 가 이 웅장한 건물을 사들였다. 아티쿠스의 아버지는 자기 집 땅 밑에서 보물을 찾아내 벼락부자가 되었다.[아티쿠스의 할아버지가 정권의 박해를 받던 시절에 숨겨놓았던 보물이다] 헤로데스 아티쿠스는 귀중한 자기 건물을 조국에 기증하고 로마로 이주했다. 아티쿠스는 정신건강이 의심스러웠는데도, 마르쿠스 아우렐리우스 황제가 어렸을 때 가정교사로 일했다.

아티쿠스는 영지를 결혼지참금으로 가져온 귀족 처녀와 결혼했다. 헤로데스 아티쿠스는 그리스 사람답게 점잔을 부렸다. 그렇게 어둡고 상스런 면을 감추려 했다.

그는 아내가 다섯 번째 아이를 뱄을 때 발길질해 죽였는데, 기소되어 재판을 받았지만 돈이 많아서 무사히 풀려났다. 그래도 의혹의 눈길을 피하려고 아내의 장례식과 자기 영지를 지옥의 신들에게 바치는 애도식까지 거창하게 치렀다. 아티쿠스는 주랑기둥에 이런 글을 새겨두었다.

"이 신당을 지옥의 신들께, 또 '어머니 신'이자 대지의 여신이신 데메테르께 바친다. 이 기둥을 옮기는 자는 저주받으리라!"

그보다 조금 떨어진 또 다른 추모당에도 기명을 새겼다.

"헤로데스를 추념하려 건립했다. 그의 불행을 또 아내의 미덕과 가문의 빛을 영원히 기념하련다. 묘는 없다. 아내의 유해는 그리스에 묻혔다. 남편 곁에."

공원 한쪽 구석에는 우리 조상들이 로마 수호신 레디쿨루스께 바친 작은 신당이 있다. 로마의 가장 고약한 적, 무서운 한니발 장군이 쳐들어왔던 바로 그 자리였다.

1. 아피아 성문

2. 역참

3. 마르스 신전

4. 루키우스
베루스 개선문

5. 프리우스
크라시페스 장원

6. 게타 묘소

7. 프리스킬라 묘소

8. 도미네 쿼 바디스 성당

9. 알모 천

10. 시인 테렌티우스의
장원으로 추정되는 건물

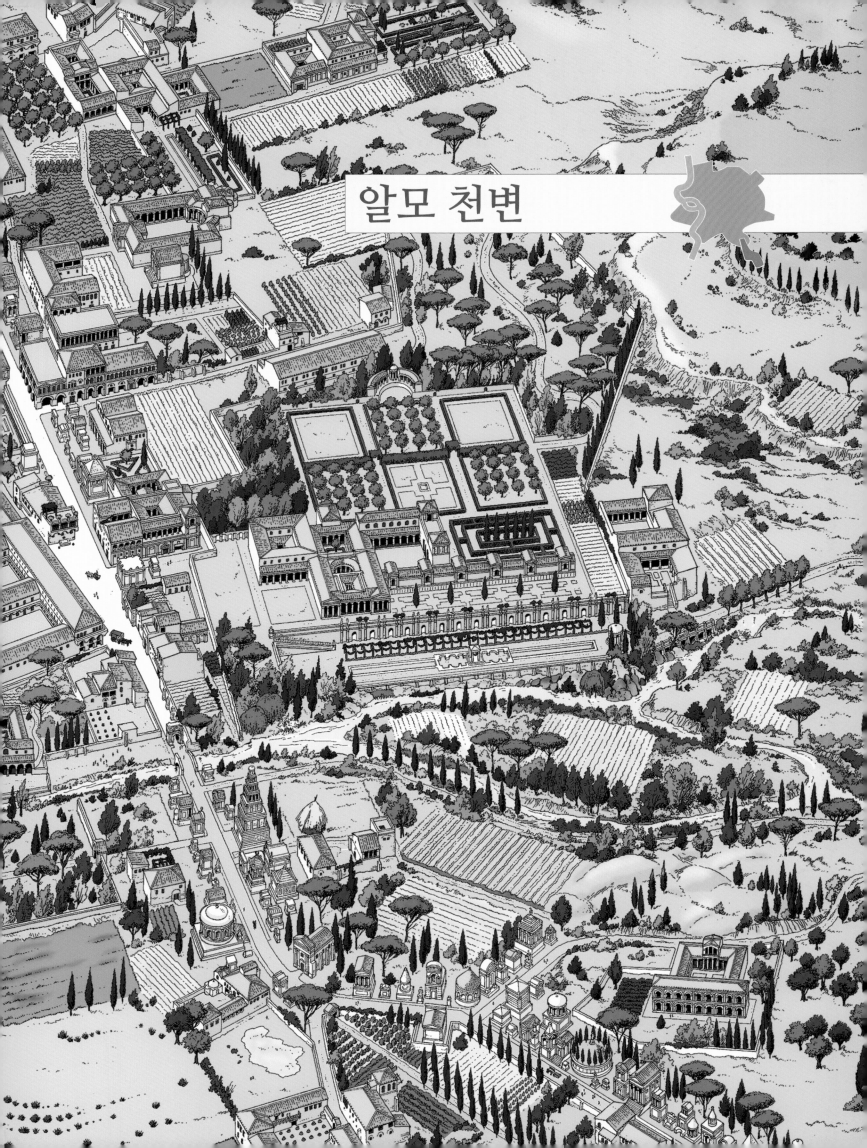

알모 천변

1~3.
지하묘지에서
발견된 기독교의
상징들

한니발 장군은 시내에서 불과 1천 보 거리인 이 지역에서 재미를 보려고 퇴각하기 전에 전초를 세웠다. 물론 나중에 천벌을 받았다!

우리는 "주여 어디로 가십니까(도미네 쿼 바디스)?"라는 이름의 작은 성당 앞을 지났다. 친구는 조용했다. 콘스탄티누스 황제는 너그러웠다. 그러나 기독교도를 진심으로 포용하지는 않았다.

나중에 알게 되었지만, 바로 이 이곳에서 네로 황제의 박해를 피해 도망치던 베드로 앞에 예수가 기적처럼 나타났다고 한다. 로마에서 초대 주

교가 된 베드로는 "주여, 어디 가십니까?"라며 깜짝 놀라 외쳤고, 그러자 "너 대신 십자가에 못 박히러 간다."는 답을 들었다. 그제야 베드로는 급히 발길을 돌렸다.

베드로는 칼리굴라 전차경기장에 들어가 십자가에 거꾸로 매달려 죽었다. 베드로는 예수처럼 똑바로 걸려 죽을 자격이 없다고 믿었다. 죽은 신을 이렇듯 찬양하다니 정말 모를 일이다.

아피아 가도는 얼마 떨어지지 않은 곳에 티베리스 강으로 흘러드는 '알모' 천을 가로지른다. 이 좁은 길이 사실상 로마의 행정구역상 경계 노릇을 한다. 매년 여제관들이 팔라티누스(Palatinus) 언덕의 신전에서 성상들을 닦으러 알모 개천가로 나온다. 천변은 아름답다. 오두막들이 가득한 작고 습한 텃밭들이 둑 가를 따라 즐비하게 늘어서 있다. 갈대로 엮은 방책으로 둘러싸인 숲 마을이다. 어떤 마을은 장미가 울타리를 타고 만발해 축제 분위기에 젖었다. 장미꽃송이들이 포도덩굴을 타고 기어오른다.

선선한 저녁에는 시민들이 도심의 답답함을 잊으러 물가로 나온다. 시골 풍경과 다름없는 큰 공원에 유명한 별장들이 숨어 있다. 위대한 문인 키케로(Cicero)도 애지중지하던 딸 툴리아(Tullia)와 사위 푸리우스 크라시페스에게 이런 별장 한 채를 구입해 주었다.

마르쿠스 아우렐리우스(Marcus Aurelius) 황제의 이복형제 루키우스 베루스 황제를 기리는 개선문이 아피아 가도에서 로마로 들어가는 공식 입구다. 입구

왼쪽으로 조금 떨어져 과거 화산암 채석장이던 풀베라리우스 길이 보인다. 여기에서 캔 화산암을 석회와 섞어 시멘트를 만들었다. 불결하고 흙투성이인 동네인데 유대교당이 들어앉아 있다. 길은 군신 마르스의 거대한 신전 광장 쪽으로 오르막이다. 광장 주위에 가마꾼, 마차꾼이 따분해 하며 손님을 기다린다. 주사위 놀이를 하는 사람들도 있다.

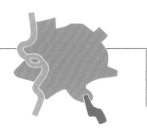

　지방으로 떠나는 사람들은 가마나 마차 같은 탈것을 이용하지만, 반대로 시내에 들어가야 하는 사람들은 그곳에 밤까지 마차나 수레를 놓아두어야 한다.

　낮에는 마차가 성내로 들어가지 못한다. 율리우스 카이사르 시대부터 금했다. 황실과 귀족의 가족 마차와 건물을 관리자들만이 드나들 수 있다. 가마꾼들도 출입을 허락받고 있다. 그러나 나는 말을 역참에 묶어두어야 했다.

아피아 성문에는
두 개의 문이 있다.
오늘날의
산세바스티아노
성문.

로마 입성

로마는 고대 왕정기에 처음 방벽을 세웠다.
거대한 석회암 덩어리로 세운 세르비우스 툴리우스 방벽은 공화정 말기까지
로마를 지켰다. 하지만 벌써 그때부터 사방에 많은 신시가지가 들어섰다. 아우구스
투스 황제의 오랜 태평성대 시절부터 방벽은 낡은 상태였다. 성문을 더욱 웅장한 개
선문으로 고치기도 했지만, 관리가 부실한 축대벽은 무너지곤 했다. 예스러운 폐허
같은 풍경만 남은 곳들도 있다. 정말로 더러워진 구역도 많다. 어둡고 비참한 구역
에 불결한 주거시설들이 여전히 넘친다. '숨모에니움(submoenium)' 지역이다. 성
벽 바깥쪽을 따라 구불구불한 골목으로 이어지는데, 여차하면 못된 짓을 하려
튀어나올 악당들의 소굴이다. 납작한 건물 속은 매음굴이다. 무시당하기 마
련인 이 구석 여자들은 서글픈 유명세를 치른다. 여자들의 이름이 곧 지독
한 욕이다! 그런데 가뜩이나 더러운 골목길들은 수도교들이 옛 성벽 위
로 지나면서 진창으로 변했다. 밖으로 나돌아다니지 못하게 한 돼지들
마저 꿀꿀대며 돌아다녔다.

이렇게 영원의 도시는 자신감이 넘친 나머지 3백년간 방벽조차 없었
다. 그러다 불안한 시대가 찾아왔다. 라인강 변의 알라마니 족(Alamanni)이 알프스 산
맥을 넘었다는 소식에 도시는 완전히 공황에 빠졌다. 아우렐리아누스 황제는 야만
족의 침공에 맞서 방벽 건설을 명했다. 막강한 석공조합이 어마어마한 공사를 다섯
해 만에 끝냈다.

이렇게 급히 막대한 비용을 들이다 보니, 기술자들은 비용을 아끼려고 방벽 외곽
의 인구가 적은 많은 부락을 시내로 수용하지 않고 그냥 내버려 두었다. 주로 티베리
스 강 오른쪽 기슭의 공원 지역이다. 어쨌든 시간을 절약하려고 근위대 병영과 원형
극장, 케스티우스 피라미드 등 많은 유적을 도성 안쪽으로 편입했다.

길이 19km, 높이 7.5m의
성벽에 18개의 문과
7,000여개의 여장을 갖춘
아우렐리아누스 방벽
위에는 폭 4m의 순찰로가
있다. 순찰로에는 약 30m
간격으로망루 383개소가
설치되었다. 이 방벽을
건설하기 위해 토지
385,000㎡를 수용하고
지주들에게 배상해주었다.

아우렐리아누스 방벽은 높이가 6m에 불과하다. 막센티우스 황제는 콘스탄티누스 군단의 공격을 걱정해 방벽을 2m쯤 더 높였다. 하지만 허사였다. 막센티우스는 밀비우스 다리에서 패해 티베리스 강에 빠져 죽었다.

우리는 정오에 성문으로 들어섰다. 성내는 세르빌리우스 방벽처럼 아피아 가도보다 높은 거대한 공원인데 이곳에도 묘지가 이어진다. 과거에는 변두리였다. 여기를 지나는 수도교로 송림에 파묻힌 카라칼라 온천장의 거대한 저수장에 물을 댄다.

이곳은 여전히 시골 티가 물씬하다. 비탈에서 사거리 제단의 소박한 벽화를 그리는 노예들이 멍석을 펴고 푸짐한 점심식사를 즐긴다. 먹고 나면 낮잠을 잘 모양이다. 낮잠 시간에 시내는 한숨을 돌리고 조용해진다. 작은 개울에서 수정처럼 반짝이며 찰랑대는 소리만으로 대기는 다시 시원해진다. 길 다른 쪽, 작은 건물 아래층에, 포도넝쿨 화환을 간판으로 걸어둔 '테르모폴리움(thermopolium)'을 보니 갑자기 허기가 밀려왔다. 싼 값에 잘 먹을 수 있는 간이식당이다.

내 촌티 나는 행색에 주인은 지하실의 작은 방에 묵으면 어떻겠냐고 했다. 그마저도 바가지 쓸까 싶어 내가 망설이자 실비우스는 괜찮다고, 후회하지 않을 거라며 그렇게 하자고 했다. 주인은 횃불을 들고 앞장섰다. 나는 여전히 조금 걱정하며 뒤따랐다. 밑으로 끝없이 내려가니, 지하 묘실 같은 것이 나왔다. 어둠 속에서 벌떡 일어설 듯 커다란 석관들이 보였다. 서른 개는 족히 될 듯하였다.

주인은 지하실을 확장하려다 버려진 묘지를 발견했다. 스키피오(Scipio) 가문의 묘라고 한다! 공화국의 명문일족이 누워있는 자리였다. 하지만 가문의 영웅 스키피오 아프리카누스(Scipio Africanus) 장군[한니발의 고향 튀니지 지역을 토벌했다]만은 이곳이 아니라 이탈리아 반도 남부에 영면했다.

베티우스 루피누스는 아피아 대로 변, 세베리우스 온천장 바로 곁, 멋진 율리우스 케팔리우스 저택에 살고 있다. 트라키아의 대리관이 내게 써준 추천장 덕에 나는 베티우스의 집에 묵을 수 있었다. 베티우스는 정부 측근의 원로위원으로, 지금은 황제와 국민이 즐기는 사치스런 놀이를 조직하는 일이나 맡고 있지만, 장차 집정관에 오를 인물이다.

베티우스의 아들 카이우스가 나를 반겼다. 아버지는 저녁 늦게 귀가한다고 했다. 내가 짐을 풀자마자, 카이우스는 로마의 분위기를 만끽하자며 온천장에 가자고 권했다! 그는 세베루스 온천장을 무시하고, 카라칼라가 조성한 거대한 온천장으로 안내했다.

1. 아피아 성문과 아우렐리아누스 방벽

2. 일단 성문을 통과해 드루수스 개선문을 거쳐야 한다.
원래 트라야누스 황제를 기리는 문이었을 듯하다. 문 위의 홍예교를 따라 아쿠아 안토니니아나 수도교의 물을 카라칼라 온천장에 공급했다.

1

1. 오스티아의
샘터. 소박했든
화려했든 도시
장식의 일부였다.

2. 오스티아의
간이식당 또는
선술집. 로마
시내 거리
구석구석마다
비슷한 것들이
있었다.

카라칼라 온천장은 퀴리날리스(Quirinalis) 언덕에 디오클레티아누스 (Diocletianus)의 온천장이 들어서기 전까지 세계에서 가장 큰 곳으로, 1,600 명이 동시에 목욕할 수 있다.

우리는 도심의 아름다운 유리산업 중심지 비트라리우스 거리로 접어들었다. 그러나 알렉산드리아의 명품 유리 제법에 능한 장인은 없다. 거장의 솜씨로 깎은 크리스털 컵 하나 없고, 흔한 유리병 뿐이다.

아무튼 많은 공방에서는 시리아 유리명장들이 감독을 받으며 모자이크 용 작은 유리 반죽을 만든다. 조금 떨어진 곳에서 노예들은 판유리를 굳힌다. 개인저택이나 귀족 가마의 창에 붙일 것이다.

어떤 이집트 사람은 길가에 좌판을 벌여놓았다. 이집트 사람은 행인들에게 자신이 직접 불어 만든 유리병을 내다 판다. 나는 잠시 병들을 들여다 보았다.

조용하고 침침하던 골목 끝을 나서자 갑자기 눈이 부셨다. 보기 드문 넓은 길이 나타났다. 폭이 30m가 넘어 보이는 신작로인 '비아 노바'였다. 카라칼라 황제가 자기 목욕탕까지 닦은 길이다. 상점과 아케이드가 즐비한 그 거리에 군중이 넘쳤다. 대전차경기장부터 온천까지 사람들이 붐빈다. 길가에 분수가 즐비하다.

야단법석인 거리에서 꼬마 둘이 장난감 고양이에 옴짝달싹 못 하는 쥐 한 마리를 줄에 묶은 채 뛰어놀았다. 가게들이 문을 열 때까지 부모들이 심심해하지 말라며 만들어준 고양이였다. 사방 여기저기에서, 행상들이 수레 위에 물건을 쌓아놓고 사람들은 묘약을 찾아다닌다.

어떤 약장수는 지옥의 신들이 가축에게 보낼 저주를 반드시 막아줄 마술처방전을 팔았다. 선술집마다 사람들은 목이 터지라고 열을 내며 떠들었다. 제발 비라도 내렸으면! 얼마나 시원할까!

로마의 거리도 오리엔트의 대도시들과 별다르지 않다.

우선 좋든 싫든 군중의 물결에 휩쓸린다. 서로 부딪치고, 고함치며, 놀라서 펄쩍 뛰는 말들 때문에 질겁을 하면서도 원로위원의 마차와 물장수에게는 먼저 길을 내준다. 노예들이 짊어진 가마도 그 틈에 먼저 가려 한다. 가마에 탄 주인은 창밖으로 고개를 내밀고 조급해한다.

벌써 오래전 포에니 전쟁 때에도, 이런 혼잡을 두고 카르타고 군대에 오빠의 군대가 궤멸당한 클라우디아가 이렇게 소리치지 않았던가. "아, 오빠가 살아서 또다시 패주한들 이처럼 난장판일까?"

대로에는 포장된 보행로가 꽤 많지만, 골목들 대부분은 비포장이다. 차도는 보통 돌덩이나 실렉스로, 광장은 대리석이나 규석으로 덮었다. 갈림길마다 지역 수호신들을 모시고, 행인들은 발을 흙탕물에 적시지 않고 건너다닌다. 비 오는 날에도 차도로 마차나 수레 통행에 문제는 없다. 길의 폭이 넓을 뿐만 아니라 조금 돌아 올린 포장석 사이로 물도 잘 빠진다.

도로의 관리는 공무원들의 책임이다. 공무원들이 돌아다니며 가판대의 난립을 금지하거나 사람들이 자유롭게 통행하도록 가도의 상태를 유지한다. 배수가 잘 되도록 배수로를 관리하고, 건물주들에게는 건물 정면의 돌출부가 길을 침범할 만큼 너무 튀어나오지 않도록 단속도 한다.

황제들의 로마

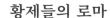

그뿐만이 아니다. 공무원들은 오물처리도 감독한
다. 길가에 거주하는 주민들은 자신들의 집 앞을
깨끗하게 청소해야 할 의무가 있다.

거리를 항상 깨끗이 유지해야 한다는 원칙
이야 이렇듯 훌륭하지만, 누가 그런 임무를 성
실히 이행할까? 칼리굴라 황제도 베스파시아누
스가 도로정비 책임자였던 시절에 거리가 오물로 덮
였다고 처벌하지 않았던가!

1. 콤모두스 황제

2. 아피아
가도에서 로마로
들어서는 초입의
전원 분위기는
여기에서 본
오스티아 길과
흡사했을 것이다.

카라칼라 온천장

오후 2시, 종루에서 종이 딸랑대며 온천장의 개장을 알렸다.
그 전까지는 물로 치료를 하는 환자들만 들어갈 수 있다. 남자들 입장료는 동전 1콰드란스(quadrans, 약 0.5유로), 여자는 좀 더 비싸다. 하지만 황제는 종종 온천장의 무료입장 기회를 분배하며 선심을 쓰곤 한다.

나는 신작로를 따라 이어지는 주랑 밑 가게에서 여러 색깔의 때 미는 수건 가운데 하나를 골랐다. 몸에 바를 기름도 구했다.

옛날에는 아버지 앞에서 목욕할 엄두를 절대 내지 못했다. 아흐레 만에 한 번이나 목욕했다. 하지만 이제 '두더지 굴'이라 불리는 화려하게 지은 대중탕이 로마에서만 967개소까지 야금야금 늘어났고, 남녀별로 다른 시간에 문을 연다. 어쨌든 황제들이 국민이 건강하고 즐겁게 살도록 세운 11곳의 대온천장에 비할 바는 못 된다.

1. 온천장의 일부

2. 수영장
19세기 건축가
비올레 르 뒤크가
재현한 모형을 독일
판화가 뷜만이
판화로 찍었다.

1. 온천장
울타리에 붙은 방

2~3. 온탕. 높이
올린 둥근 지붕은
사라졌다.

카라칼라는 자신이 지은 대욕탕의 준공 행사때 채 마무리도 안 된 욕탕에 뛰어들 만큼 목욕을 즐겼다.

하드리아누스 황제 시절부터 혼탕이 금지되었다. 특히 방탕한 엘라가발루스 치세 이후 너무 추문이 빈발해 야간개장을 아예 금지했다. 그때부터 남녀 각각 다른 욕탕을 이용한다. 바깥 주랑을 거쳐 플라타너스가 본관을 둘러싸고 그늘을 드리우며 줄을 잇는 정원을 거쳐 탈의실 쪽으로 향했다. 화려하게 차려입은 원로위원이 거만하게 우리 앞을 지나갔다. 우두머리 노예와 함께 10여 명의 노예가 세면도구를 들고 뒤따랐다. 우두머리 노예가 위원의 목욕시중을 든다. 노예들은 쾌적한 목욕에 필요한 도구를 완비했다. 쓸데없는 도구도 많다. 하지만 호사를 과시하려는데 뭐가 불필요할까! 위원은 목욕을 마치고 나서, 만찬에 모셔가려는 기생 같은 자들이 길게 늘어선 통로를 지나리라. 제국 관청에서 권위가 있으면서도 피곤하지 않은 일자리를 얻으려고 굽실대는 자들이다. 그렇지 않다면, 그저 마사지할 한 푼을 구걸하거나.

아무튼 조심해야 한다! 목욕하는 동안 옷과 소지품을 넣어두는 탈의실 보관함을 잠그지 않으니 도둑들이 들끓는다. 물건을 잃지 않으려면 감시하는 노예를 세우는 수밖에 없다!

우리는 소박한 반바지만 걸치고 '온크타리움(onctarium)'으로 갔다. 피부를 부드럽게 하려고 기름과 밀랍을 섞은 마사지 향유를 바르는 방이다. 이어서 들어간 방에서는 모든 세대가 공놀이, 레슬링을 하거나 아령을 들어 올리며 체력단련을 했다. 나는 카이우스와 야단스런 피구를 한 차례 겨루었다. 던진다는 예고도 없이 불쑥 한 손으로 공을 힘껏 던져 상대방을 잡는 놀이다. 어떤 속임수도 허용된다. 우리 둘레에 구경꾼들이 응원하고 조롱도 했다. 엄하게 단속하지 않아 구경꾼들은 벌써 내기를 걸었다. 내 편에 건 사람들이 실망할 테니 난동을 피하려면 슬쩍 빠져나가야 한다.

우리는 모래와 땀투성이로 증기탕 '수다토리움(sudatorium)'으로 들어갔다. 플리니우스의 조언대로, 우리는 이 증기탕에서 증기를 조절하고 호흡을 가다듬으며 느긋하게 푹 쉬었다. 사람들은 대리석 벤치에 앉아 먼저 인사를 걸고 잡담하며 사귀고 있었

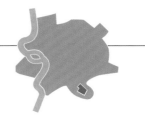

다. 부자들은 사교계 이야기꽃을 피우고, 빈자들은 물가가 올랐다면서 탄식했다.

그다음에 우리는 '칼다리움(caldarium)'으로 건너갔다. 빛으로 넘치는 바닥이 둥글고 넓은 방이다. 한 사람씩 부글대는 물이 넘치는 커다란 욕조에 둘러앉아 몸에 물을 끼얹는다. 주변에는 커튼을 친 개별 욕실들이 있다. 그 속에서 종종 즉흥적으로 목청을 가다듬는 소리가 들린다.

어쨌든 칼다리움에서 오래 머무는 사람은 드물다. 로마 사람들은 피부를 부풀리는 뜨거운 욕탕을 그다지 좋아하지 않는다. 원로위원은 아예 탕 속에 발조차 담그지 않으려 한다. 점성술에 따른 운세에 비추어 볼 때 좋지 않은 일이다. 대신에 노예들이 원로위원의 젖은 몸을 때밀이 수건으로 밀어 때를 벗긴다.

그리고 나서 향유를 바르고, 손톱을 다듬어 준다. 하인은 포근한 가운을 대령해 위원에게 입혀준다. 그러면 위원은 고운 손가락으로 달콤하고 파삭하게 구운 과자를 집어 먹는다.

그 다음 방은 '테피다리움(tepidarium)'이다. 지친 몸을 마사지로 달래는 따뜻한 방이다. 하지만 마사지 노예에게 몸을 맡기려면 비싼 돈을 내야 한다. 어느 날 이곳을 찾아왔던 하드리아누스(Hadrianus) 황제는 늙은 병사가 등을 벽에 비비는 모습을 보았다. 황제가 무슨 짓인지 궁금해하자, 그 역전의 용사는 마사지를 받을 돈이 없다고 털어놓았다. 이 말에, 황제는 자기 노예에게 마사지를 해주도록 명했다. 이튿날, 황제는 온천장을 다시 찾아왔다가 놀라고 말았다. 악동들 십여 명이 벽에 등을 비비고 있지 않은가! 결국, 황제는 그들에게 서로 등을 밀어주라고 했다.

사람들은 제모 도구로 털을 다듬기도 한다. 하지만 페르사[Persa. 플라우투스 Plautus 의 희극 「페르사」의 주인공]가 뭐라고 했던가! "딱한 늙은이들이 치부를 드러내고 털을 뽑는 꼴을 어떻게 봐 줘!"

우리가 넓은 '프리기다리움(frigidarium)'에 다가설수록 정말 엄청나게 소란스러웠다. 거창한 실내에 온 세상 사람이 다 모인 듯했다.

사방에 세련된 모자이크, 귀한 대리석으로 빚은 장엄한 벽화들이 눈속임 수법으로 깊은 원근을 실감나게 재현했다. 윗벽에 줄지은 벽감에는 바다의 온갖 신상들이 들어찼다. 신들은 자기네 발밑에서 움직이는 우리 인간들을 차갑게 내려다본다. 노래하며 돌아다니는 행상들 사이에서 멋을 부린 여자들도 출입하고, 매춘부들도 묻어 들어온다.

웬만한 남자 못잖게 건장한 노파가 슬픈 표정으로 애도 중이었다. 그런데 불그죽죽 화장한 뺨과 크림으로 번지르르한 얼굴을 보면 남편을 잃었다기보다 새서방이라도 찾는 꼴락서니 아닌가!

도서관 쪽
통로와 강당

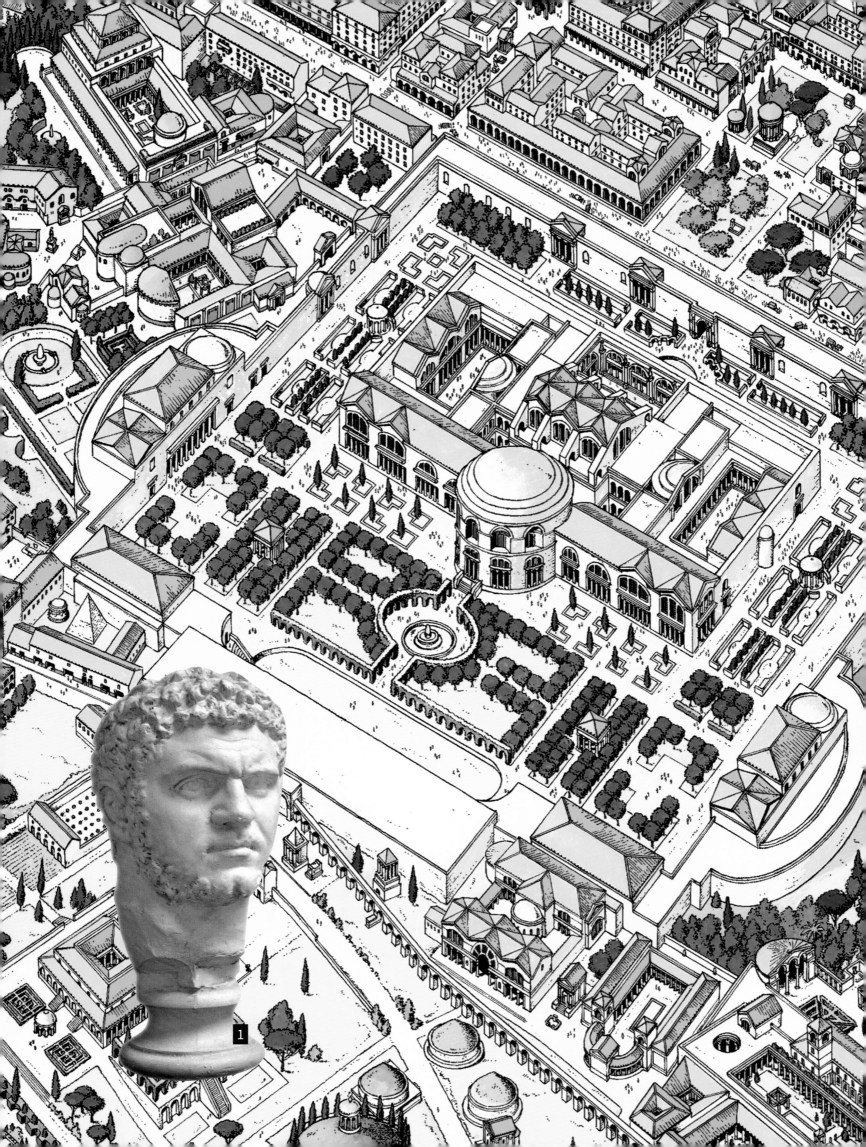

카라칼라 온천장

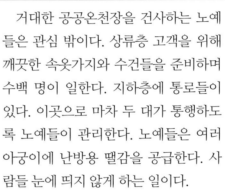

거대한 공공온천장을 건사하는 노예들은 관심 밖이다. 상류층 고객을 위해 깨끗한 속옷가지와 수건들을 준비하며 수백 명이 일한다. 지하층에 통로들이 있다. 이곳으로 마차 두 대가 통행하도록 노예들이 관리한다. 노예들은 여러 아궁이에 난방용 땔감을 공급한다. 사람들 눈에 띄지 않게 하는 일이다.

로마 사람들은 목욕 후 마무리로 거대한 냉탕에 뛰어들기를 가장 좋아한다. 의사들은 냉수욕이 활력을 준다고 권한다. 네로 황제는 눈 덩어리를 녹인 차디찬 물에서 헤엄치기 좋아했다. 반면 콤모두스는 하루 여덟 번씩 온탕에 뛰어들었다!

우리는 정원으로 나왔다. 멀리 위쪽 높은 곳에는 눈이 쌓였다. 부녀자들이 정자와 분수 사이로 거닐고 있었다. 그리스에서 약탈한 입상들 십여 점이 서 있는 길이다. 트랄레스[오늘날 터키 남동부 아이딘Aydin] 출신 아폴로니오스의 힘찬 황소상이 아테네 출신 글뤼콘[3세기 그리스 조각가]의 헤르쿨레스 상과 나란히 놓여 있다. 아이들은 잔디밭에서 그네를 타며 논다.

1. 카라칼라 황제

2. 과거에는 화려하게 장식된 높은 궁륭이 수영장 위에 솟아 있었다.

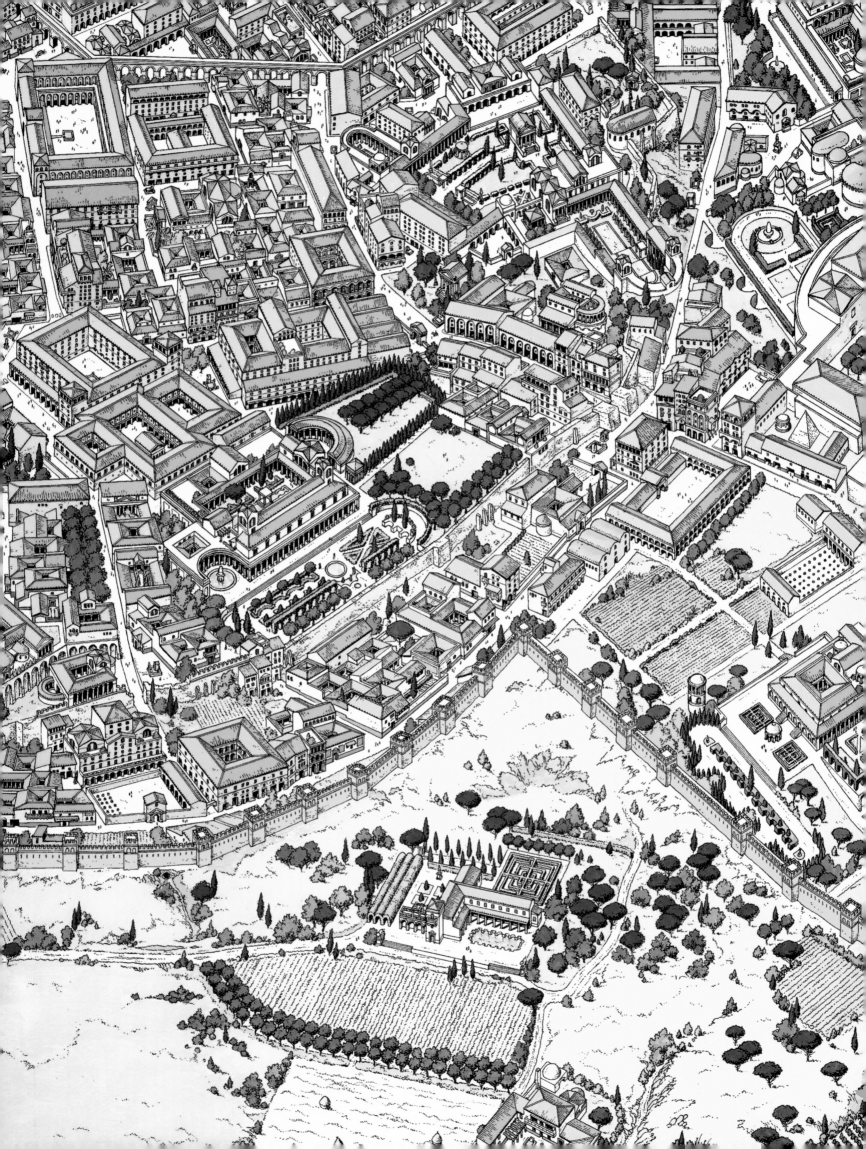

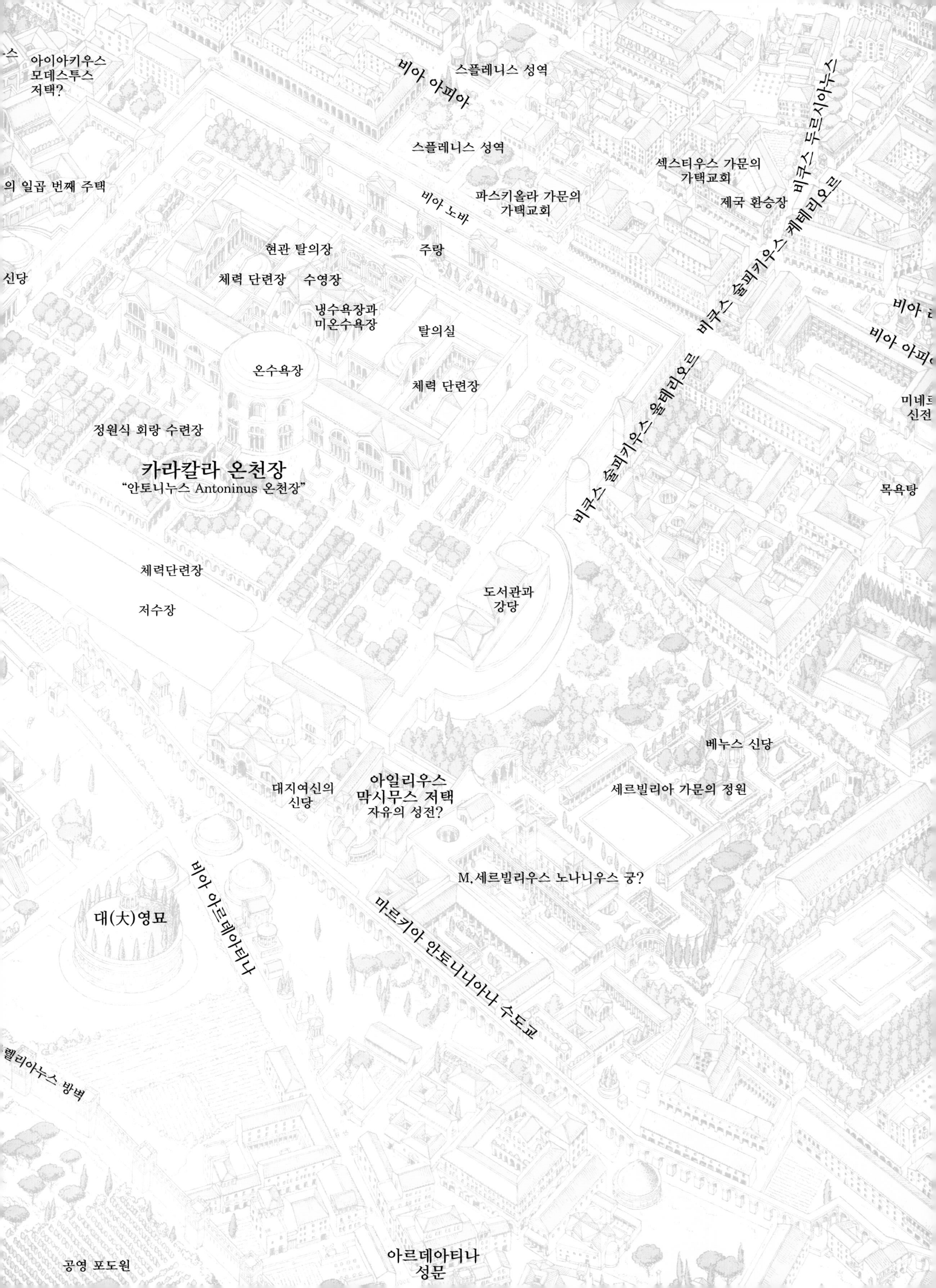

-스
아이아키우스
모데스투스
저택?
의 일곱 번째 주택
신당
비아 아피아
스플레니스 성역
스플레니스 성역
비아 노바
파스키올라 가문의
가택교회
섹스티우스 가문의
가택교회
제국 환승장
비쿠스 두르시아누스
비쿠스 술피키우스 케테리오르
비아 라
비아 아피아
미네르
신전
현관 탈의장
주랑
체력 단련장
수영장
냉수욕장과
미온수욕장
탈의실
온수욕장
체력 단련장
비쿠스 술피키우스 울테리오르
정원식 회랑 수련장
카라칼라 온천장
"안토니누스 Antoninus 온천장"
목욕탕
체력단련장
저수장
도서관과
강당
베누스 신당
아일리우스
막시무스 저택
자유의 성전?
대지여신의
신당
세르빌리아 가문의 정원
M.세르빌리우스 노나니우스 궁?
비아 아르데아티나
대(大)영묘
마르키아 안토니니아나 수도교
렐리아누스 방벽
공영 포도원
아르데아티나
성문

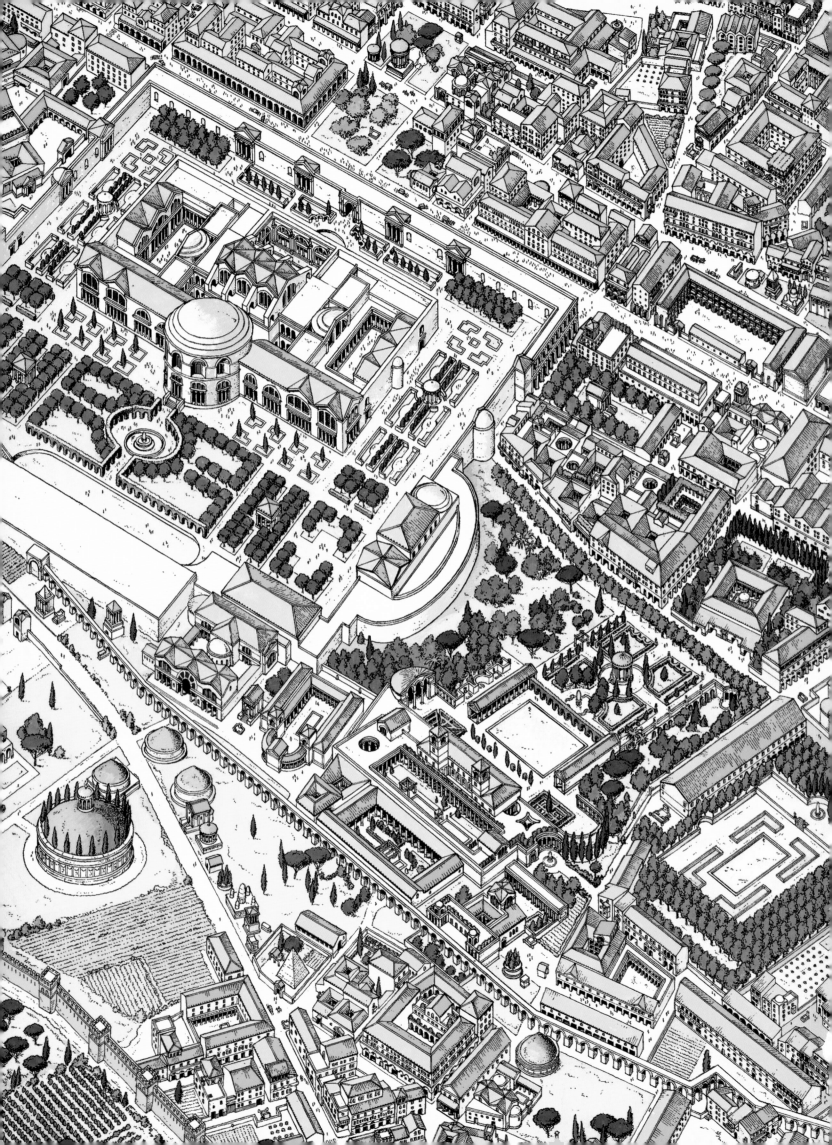

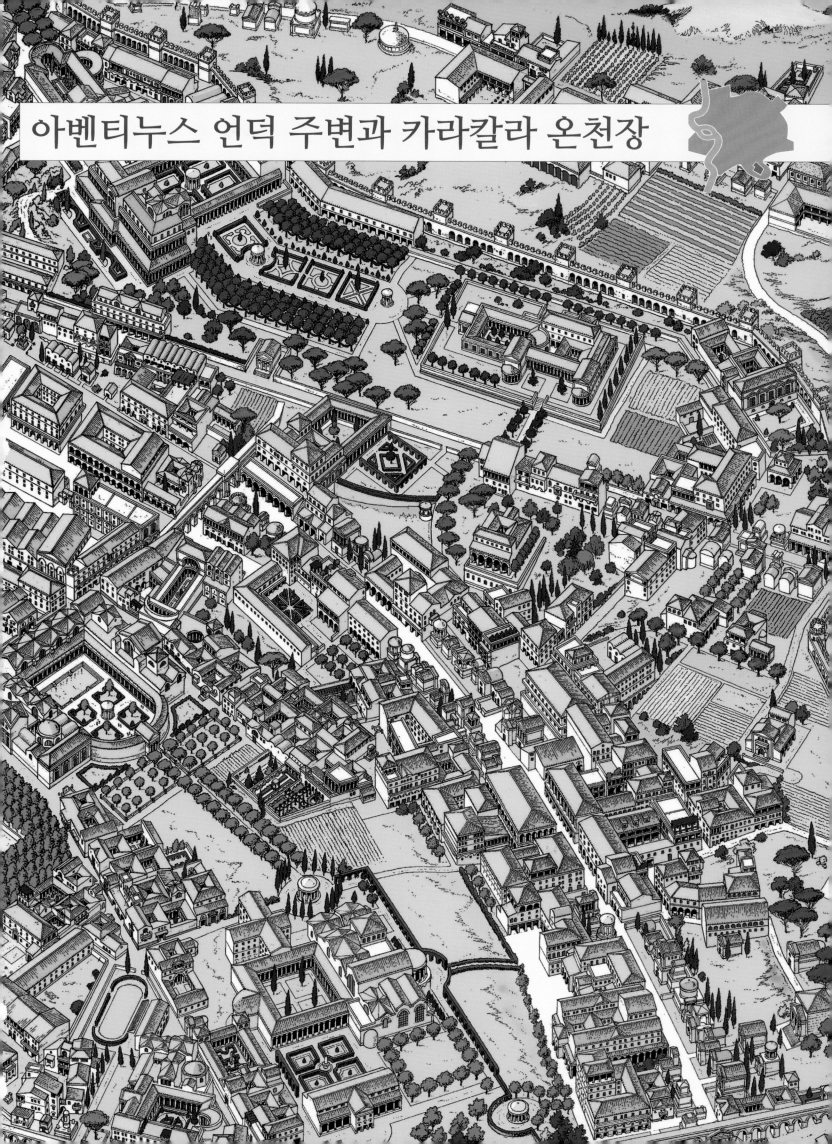

아벤티누스 언덕 주변과 카라칼라 온천장

비쿠스 피스키나이 푸블리카이

비쿠스 베네리스 알마

Q.아시아키우
캔소리누스
집터?

마르키아 수도교

실바누스
신당과 신상

제4야경대

보나 데아
신전

아폴로 또는
스카우리아누스의 샘?
발비나 가택교회?

포르투나
신당과 신상

비아 포르투나 맘모사

파르티아

아벤티누스
미노르

파비우스
킬로 궁
(203년 로마 시장
204년 집정관)

삭숨 바위

이시스
아테네도리아
신당

미트라

레모리아 동산
비의 신
유피테르
신전

켈로니아
파비아
정원?

나이비아 숲 자리?

움미디아 콰드라틸라
물류창고

나이비아
성문

움미디아 콰드라틸라
저택

캄푸스
라나타리우스?

네르바 창고?

카일레스티나 저택

세르비우스 툴리우스 방벽

비쿠스 피토리스?

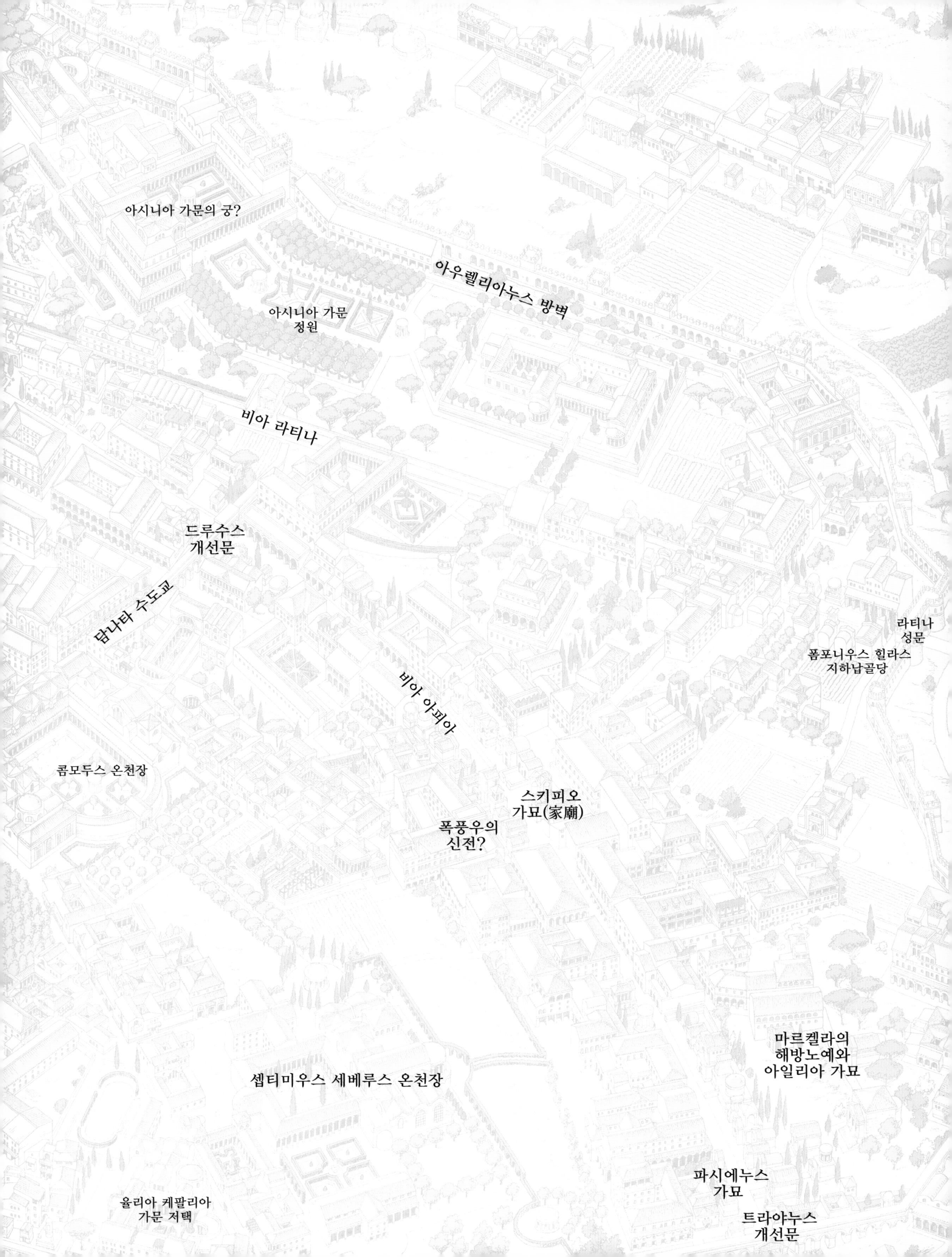

아시니아 가문의 궁?

아우렐리아누스 방벽

아시니아 가문
정원

비아 라티나

드루수스
개선문

람나타 수도교

라티나
성문

폼포니우스 힐라스
지하납골당

비아 아피아

콤모두스 온천장

스키피오
가묘(家廟)

폭풍우의
신전?

마르켈라의
해방노예와
아일리아 가묘

셉티미우스 세베루스 온천장

파시에누스
가묘

율리아 케팔리아
가문 저택

트라야누스
개선문

뜀박질을 즐기는 사람들은 길이가 다른 트랙을 달리며 속도를 가늠한다. 곧 폭우가 쏟아질 것 같았지만, 이곳은 아직 시원한 편이다. 옛날에 마르티알리스가 뭐라고 했던가. "여름에 생선을 어디 둘지 고민이라면 온천장에 갖다 놔라!"

빗방울이 떨어지기 시작했다….

로마 사람들은 폭우를 싫어한다. 우리는 온천장 건물에 붙은 라틴어와 그리스어 도서관 곁의 강당으로 달려갔다. 실내를 가득 메운 사람들 모두 졸기만 했다! 4시부터 딱한 연사가 청중에게 빤한 찬사를 열을 내며 늘어놓았다.

그때 졸고 있던 가엾은 청중이 나무계단 좌석으로 갑자기 넘어졌다. 연사가 돈을 주고 고용한 사람들은 환호로 여기저기서 터트리는 조롱의 웃음을 덮어버리려 했다.

하지만 지루하고 건방진 삼류시인들만 많은데 정말 훌륭한 시인들은 이런 공개강연마저 못 한다면 어떻게 작품을 알릴까? 책값은 비싸다. 그래서 로마 사람들은 번번이 웃기는 쇼로 끝나는 이런 낭송회를 좋아한다.

아궁이에서 시작된 열기는 온돌 비슷한 벽돌기둥 사이로 퍼져 벽속에 박힌 관을 타고 오른다.

용수 공급과 수자원 이용

용수를 운반하는 수로는 19곳이 있었다. 로마 변두리 90km 떨어진 곳에서 물을 들여오기도 했다. 홍예 돌다리 수도교 또는 지하 수로를 이용했다. 수많은 저수탑은 각 수로의 유량을 통제하는 정거장 노릇을 했다. 거미줄처럼 뻗어나간 수로는 매일 1백만㎥의 물을, 1,352곳에 달하는 공동우물과 공중목욕탕, 또 일부 개인주택에 공급했다. 물 공급이 크게 줄었을 때조차 로마 시민 1인당 물 소비량은 현대인의 소비량과 거의 비슷했다. 각 가정에 상수도처럼 물을 대려면 당국의 특별허가를 받아야 했다. 공무원이나 조마사들은 부정한 방법으로 물을 끌어다 쓰곤 했다. 개인저택 1,790채 외에 몇몇 섬에도 상수도가 들어갔다!

1. 파르네시나 Farnesina 광장의 분수는 카라칼라 온천장에서 가져온 욕조로 꾸몄다.

2. 욕조

3. 냉탕을 장식했던 원주의 기둥머리.

4~6. 바닥 모자이크

7. 욕조 둘레에 걸어두었던 유리병 아리발에 향유를 담았다.

아벤티누스 언덕

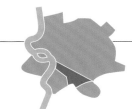

로마를 떠난 황제가 일주일 뒤에야 돌아온다는 소식은 아쉬웠다. 아무튼, 나는 베티우스 루피누스 부자와 함께 저녁을 맛있게 먹었다. 아스파라거스 소스에 구운 멧새 요리와 알렉산드리아식 가지 요리는 절대 잊지 못할 맛이었다. 정원 쪽으로 트인 멋진 별채에 차린 저녁 자리에서 시중을 든 처녀 노예 클로에는 또 어떻고? 풍만한 베누스도 시샘할만 하다. 클로에의 청순한 입가에 감도는 부드러운 미소에 나는 미칠 것만 같았다. 사랑에 빠질까 무서웠다.

1. 개인주택을
   장식했던
   대리석판

2. 셉티미무스
   세베루스 온천장

나를 초대한 베티우스의 집은 시내 대저택에 비할 바는 아니지만 쾌적한 생활의 묘미가 우러난다. 넓은 주랑에 둘러싸인 정원은 시내의 답답한 공기를 날려버릴 듯하다. 조각들이 늘어선 작은 해자에서 폭포처럼 흘러내리는 물줄기들의 은은한 속삭임이 들린다. 이 집에는 개인 온천도 있다.

로마의 단독주택인 1,790채의 '도무스'는 아파트와 비슷한 고급 공동주택인 '인술라(Insula)'와 달리 일가족만 사는 개인주택이다. 세상에 이런 귀족이 어디 있을까? 저택 윗층의 가게와 다락방을 임대하기도 하니, 정말 얼마나 늘어지는 팔자인가!

옛날에 지어진 단독주택은 안뜰 한복판에 지붕을 얹은 '아트리움'이라는 중정(中庭)이나 조금 넓은 현관을 갖추었다. 그곳에서 물받이로 빗물을 받고, 가정의 수호신을 모시는 제단과 아궁이도 두었다. 아트리움 둘레로는 크고 작은 방들이 붙어 있다. 하지만 터가 부족해서 공동주택 틈에 낀 시내의 독채들은 거의 달라지지 않았다.

어쨌거나 부자들이 차츰 늘어났다. 부자들은 그리스풍으로 넓고 쾌적한 집을 가지고 싶어 했다. 그래서 더럽고 주민이 바글대는 골짜기 위쪽에 시골 냄새가 물씬한 언덕을 사들였다. 그러고 나서 오래전에 지어진 옛 가옥에, 형편 닿는 대로 멋대로 전통을 무시하고 시원한 정원으로 이어지는 주랑을 붙였다.

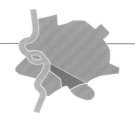

1.티볼리,
하드리아누스 별장의
주랑.
지금은 사라진
정원을 둘러싸고
있었다.

2, 3. 저택의
안마당을 이런
입상들로 장식했다.

이런 집 주인들은 사람들이 뭐라고 수군대도 집 앞에 대리석 열주를 세웠다. 그래서 엄한 관리들과 마찰을 빚기도 했다. 2층은 발코니를 내고 꽃으로 장식했다. 지붕은 테라스로 개조해 탁 트인 조망대로 삼았다. 온천탕까지 갖추어 궁전이나 다름없는 이런 저택들은 정원을 제외하고도 면적이 16헤레디움(heredium, 2헥타르- 약 2만 평)에 달하기도 한다!

로마 사람들은 아침 일찍 일어난다. 날이 밝기 무섭게 카이우스와 나는 다리 쪽으로 향했다. 하늘은 맑고 쾌청했다. 시내의 안개는 아직 걷히지 않았고 덧창들이 요란하게 열렸다. 솥을 두드리는 대장간 소리가 벌써 요란했다. 술장수는 단골들을 끌어모으고, 선생님은 가게 앞에서 학생들에게 우렁찬 목소리로 설명했다.

여행자와 시골 사람들이 카페나 성문(Porta Capena)으로 드나들었다. 번잡한 유대인 동네에서 빈둥거리기 좋아하는 사람들도 그 문으로 드나들었다. 이 문간에서 호라티우스가 적군 쿠리아스 족을 사랑했던 누이를 죽였다.

먼 옛날 세르비우스 툴리우스가 세운 석회암 방벽에 아름다운 무지개 꼴로 교각을 받친 홍예문이 뚫렸다. 그러나 지금은 아피아 수도교와 마르키아 수도교로 로마 사람들이 제일 좋아하는 물이 흘러들어오고, 높은 무지개다리보다 더 높은 아벤티누스 언덕을 적신다.

바로 그 문의 뒤편으로, 거대한 기념물인 셉티초디움(Septizodium)의 아름다운 님프상이 요란한 물소리를 내는 분수 속에 서 있다. 셉티미우스 세베루스(Septimius Severus) 황제가 팔라티누스 언덕(Mons Palatinus) 밑 동굴에 세운 샘터 건물이다. 건물에서 바라볼 때, 언덕 아래 넓은 지역 너머 멀리 아피아 가도로 이어지는 화려한 지붕들이 눈 앞에 펼쳐지도록 건물을 어마어마한 무대처럼 높여졌다.

1. 오스티아의
한 저택에서
나온 대리석편

2. 모자이크
바닥 장식

3. 로마의 한 별장
정원을 장식했던
아름다운 수조
(바티칸 박물관)

3층짜리 둥근 기둥들로 받친 건물에서 많은 물이 아래쪽 저수로로 흘러내린다. 셉티미우스 세베루스 황제는 인간은 천운에 따른다고 믿었기 때문에, 일곱 개의 행성 한가운데 태양신으로서 자신을 내세워 천운을 중재하겠노라고 했다. 또 자신의 거대한 석상도 세웠다. 그것으로 카페나 문을 거쳐 로마로 들어오는 아프리카 동포들을 놀라게 했다.

로마 건국의 아버지 로물루스가 티베리스 강의 소금 판로를 끼고 있는 팔라티누스 언덕에 도시를 세우려고 했을 때, 동생 레무스는 반대로 가파른 언덕을 방벽 삼

아 난공불락의 도시를 짓자고 했다. 즉 아벤티누스 언덕으로 하자고 고집했다. 형제는 별수 없이 신들의 뜻을 묻고 따르기로 했다. 해가 지기 전, 독수리 12마리가 배회하는 곳으로 하자던 로물루스가 신탁을 받았다. 이런 결정에 패배한 레무스를 쌍둥이 형 로물루스가 다툼 끝에 죽였다. 레무스의 유해는 아벤티누스 언덕에서 가장 오래된 고대 도시 알바 롱가(Alba Longa)의 왕 아벤티누스의 묘 옆에 화장되어 묻혔다.

이때부터 언덕은 저주받았다는 소리를 들었다. 훗날, 그 언덕을 특권층으로서 일급시민을 자처하던 귀족에 맞서 봉기한 평민이 요새로 삼았다.

대전차경기장(키르쿠스 막시무스 Circus Maximus) 맞은편에서 평민들은 농사와 곡물의 여신 케레스 신전을 은신처와 집회장으로 사용했고, 미네르바 신전에는 조합이 들어섰다.

제국 초기에 아벤티누스 언덕은 시내로 편입되었다. 이때부터 다른 언덕들처럼 저택과 장원이 들어선 부촌이 되었다. 레무스가 하늘을 올려다보았던 레모리아 구역의 킬로(Cilo) 궁과 코르니피키아 궁 위쪽에 '보나 데아(Bona Dea)'라는 작은 신전이 '삭숨' 바위 벼랑 끝에 올라앉았다. 보나 데아는 로마의 수호여신이자 대지의 여신이다.

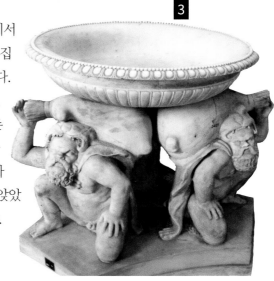

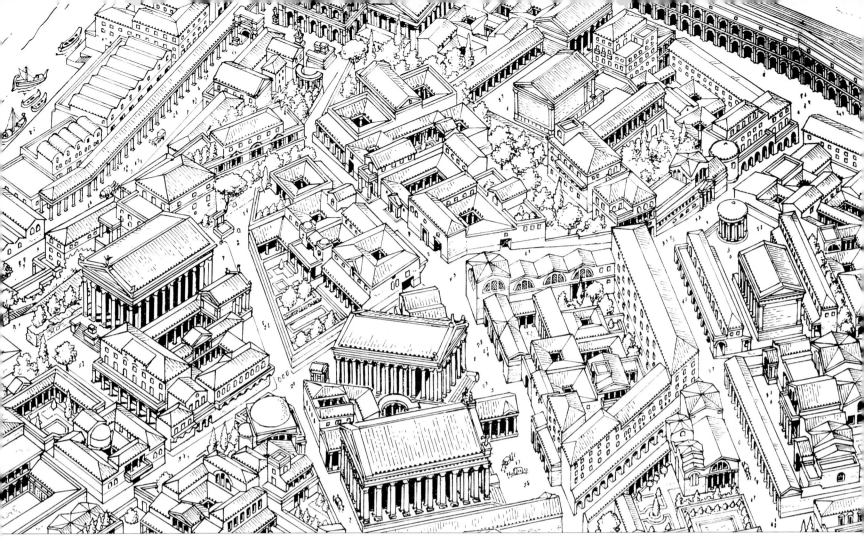

까마득한 옛날부터 살았던 보나 데아(Bona Dea) 여신은 마력으로 항상 대중의 인기를 누렸다. 여신의 아버지 반인반수 파우누스(Faunus)가 딸을 탐내기도 했지만, 딸은 저항하고 버텨내었다. 동굴 신전으로 들어가는 여자들만 그녀의 신비한 마력에 사로잡힌다. 해묵은 성소가 들어앉은 신전 경내에 뱀들이 돌아다녔지만 여자들은 뱀을 별로 무서워하지 않았다. 여신을 섬기는 사람들은 뱀들이 위험하지 않다고 장담했다. 어쨌든 상관없다고! 사람들은 마녀 같은 여신의 힘으로 자란다는 약초를 캐러 뱀이 우글대는 신전을 자주 찾는다.

푸블리키우스 길은 로마 최초의 포장도로다. 길게 뻗은 길가의 부잣집 저택들은 과거 낮은 평면주택이었다. 별로 멀지 않은 곳에 서 있는 대리석 제단은 네로 황제 시대에 로마를 화마로 삼킨 끔찍한 남쪽 경계지를 상기시킨다.

집집이 현관마다 빈민들이 수다를 떨며 줄지어 서 있다. 빈민담당관의 하인이 일상의 선물을 나누어주는 것을 받으려고 그렇게 줄을 선다. 얼마 전까지는 먹거리를 담은 바구니를 받았다. 부자마다 일정한 수의 가난한 사람들을 맡는다. 이들을 '클리엔테스'라고 한다. 그 대신, 클리엔테스들은 자기네를 먹여 살리는 부자가 출마하면 그에게 표를 던진다. 공화제가 무너지자 선거권이 사라졌다. 그래도 매일 아침이면 마치 행사를 치르듯 가난한 사람들은 몇 푼을 받으러 온다.

'금수건'이라는 선술집에서 주방 조수들이 소시지를 구울 화롯불을 지피고 있다. 벌써 이집트콩으로 구운 뜨거운 빵의 구수한 냄새가 거리에 넘친다. 우리는 코를 벌름거리고 말았다.

유서 깊은 신전들이 서 있는 언덕마루에서 카이우스는 로마의 아름다운 전경이 보이는 자리를 내게 가리켰다. 아래쪽으로, 누런 티베리스 강물이 보였다. 강 건너 주민이 많은 트란스티베림(Transtiberim)구가 먼저 눈에 들어온다. 이어서 기념물과

아벤티누스 언덕

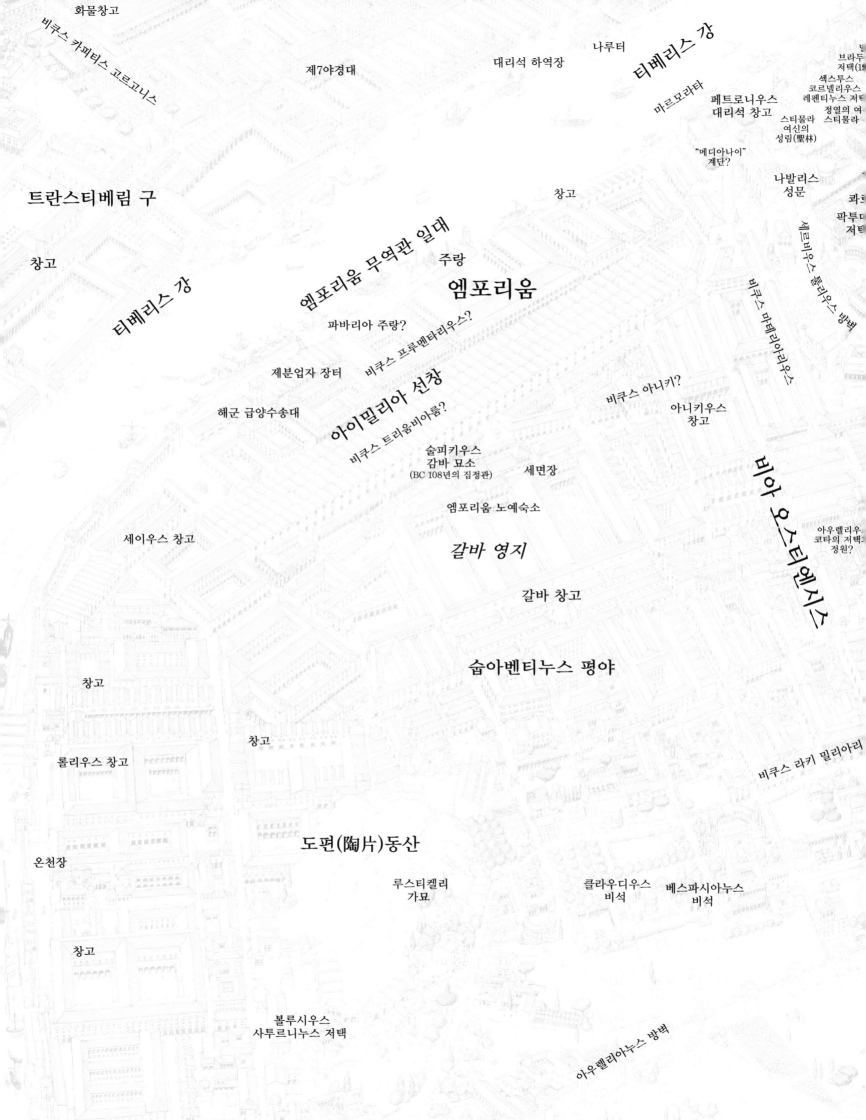

1.저택 입구를
재현한 석관.

2.16세기 당시의
아벤티누스를
재현한 옛 판화

대리석 건물들로 덮여 하늘마저 환히 밝히는 마르스 벌판이다…. 숲처럼 가득 늘어선 둥근 기둥들 위로 금덩어리 하나가 반짝인다. 만신전(萬神殿, 위인영묘) 판테온의 둥근 지붕이다. 판테온은 로마건축의 절정을 보여준다. 그 오른쪽으로 카피톨리누스(Capiltoinus) 성역이 장엄하게 빛난다. 지평선에서는 아폴로의 광채를 반사하면서 촘촘히 정원으로 덮인 길게 야니쿨룸(Ianiculum) 언덕이 죽 뻗었다. 야니쿨룸 언덕을 보

통 로마의 여덟 번째 언덕이라고 한다.[로마 시내에 중요 언덕은 원래 일곱 개다] 그보다 더 멀리 뿌옇게 하드리아누스 황제의 영묘가 흰 덩어리로 드러난다.

로레툼 구에, 아주 오래전 사라진 월계수의 추억이 남아 있다. 설화에 따르면, 아우구스투스 황제와 (세 번째 부인) 리비아(Livia)가 결혼하자, 이 동네에 독수리가 날아와 리비아의 품에 흰 암탉을 물어다 주었다고 한다. 암탉은 부리에 월계수 가지를 물고 있었다.

기적 같은 이 사건을 아우구스투스 황제의 후손에 유피테르 신의 가호가 따를 길조라고 했다. 리비아는 나뭇가지를 경건하게 아벤티누스 언덕에 심었다. 그 뒤, 나무가 크게 퍼져 우거진 월계수 숲을 이루었다. 황제들은 나무들을 꺾어 승리의 화관을 만들었고, 또다시 나무를 심었다. 어쨌든 황제들이 죽을 때마다 그들이 심은 나무가 말라죽었다고 한다. 네로 황제가 자살하기 몇 달 전부터, 그가 심은 나무도 완전히 말라죽었다는 전설이 있다. 사람들은 이런 사건을 아우구스투스 황족이 조만간 끝날 조짐이라 믿었다. 이베리아 총독이던 군인 출신 술피키우스 갈바가 일곱 번째 황제에 오르고 나서 입증된 예감이다.

아벤티누스 언덕에서 화려한 궁과 저택이 들어서지 않은 지역이 있다. '아르밀루스트리움', 즉 군인들이 군신 마르스에 바치는 축제와 경연을 거행하는 곳이다. 고대에는 매년 10월 19일이면 군인들이 이곳에 모여 전쟁에서 저지른 죄를 씻어내는 참회의식을 치렀다. 그러나 지금은 각 군단의 대표만 참석한다.

라베르나 여신은 도적의 수호신이다. 그래서 엉큼하고 부유한 페니키아 상인들이 라베르날리스 성문 근처에 모여 사는 걸까? 오리엔트에서 유래한 '돌리케누스' 유피테르 신전을 나온 사람이 가마에 주저앉은 채 항구 쪽을 바라보면서 하염없이 비단 꾸러미가 도착할 때를 기다리고 있었다. 카이우스가 나더러 그 사람을 좀 보라고 했다. 이름이 무엇이든 무슨 상관일까, 하나같이 모두 지저분하고 덕지덕지 분칠한 얼굴이다. 장밋빛 방석을 깔고 시리아 사람처럼 옷차림을 하고 시커먼 건포도를 게걸스레 먹었다. 동전 한 닢만 달라는 사람에게 알아듣지 못한 척하면서 머릿수건으로 감싼 자기 강아지만 쓰다듬는다. 로마 사람들이 이런 자들 앞에 굽실대며 구걸이나 하다니! 카이우스가 분통을 터트렸다.

카시우스 계단 위쪽 저 너머로 거대한 창고들이 밀집한 무역항 엠포리움의 드넓은 파노라마가 펼쳐진다.

1. 아벤티누스 언덕 쪽에서 카피톨리누스 언덕 쪽으로 바라본 로마

2. 오스티아의 미트라 지하 성소. 이런 성소가 특히 아벤티누스 언덕에 많았다.

3. 아벤티누스 언덕 바로 밑에 메르쿠리우스 신전이 있었다.

엠포리움

1. 오스티아의
에파가티우스
창고.
로마의 창고들과
비슷하다.

2~3. 선단의
활동 근거지를
상징하는
모자이크.
오스티아
조합건물.

전 세계에서 로마로 식량이 들어온다.

선체가 불룩하고 폭이 15m, 길이는 55m, 화물칸의 높이가 12m에 달하는 거대한 화물선들이 이집트에서 바다 건너 티베리스 하구 오스티아(Ostia) 항에 밀 15만 톤을 내려놓는다. 로마 사람들의 입맛에 꼭 맞는 좋은 밀이다. 이렇게 하역된 밀은 강기슭에서 말들이 끄는 작은 거룻배들에 실려 티베리스 강을 거슬러 올라 수도까지 들어간다. 수도에 있는 335개소의 창고에 보관되는 곡물은 꼼꼼한 관리 감독을 받는다. 매달 20만 가구가 빵, 기름, 포도주를 무상배급받는다. 고기를 받을 때도 있다.

이와 같은 공공 식량 배급으로 사회가 안정된다. 하지만 폭풍으로 창고가 텅 비거나 네로 황제 같은 인물이 밀 대신 경기장에 깔 고운 모래를 실어 나르도록 한다면 세태는 금세 불안해진다. 현물세로 들어온 곡물을 취급하는 관리는 식량난이 일어나지 않도록 머리를 굴려야 한다. 그렇지 않다면 목이 달아날 것이다.

우리는 대리석 하역장을 지나 마테라리우스[마테리알리우스 Matriarius라고도 한다] 길로 접어들었다. 목수와 가구공예사들의 거리인데, 고급 흑단목 가구를 꽤 싼 값에 살 수 있다. 금과 상아를 상감기법 등으로 세공한 가구들이다. 조금 떨어진 노점들에서는 대부분 그리스 출신인 진짜 장인들이 로마의 자랑거리인 여러 명품을 만든다. 로마는 사치품 생산

의 선두를 지키고 있다. 세공장들은 우화 속의 동물들을 새긴 은잔을 만든다. 유명
모델을 즐겨 다루는 조각가는 메르쿠리우스 청동상을 갈면서 윤을 내며 마무리 손
질을 한다. 조각가는 얼마나 많은 신상을 좌판에 내놓을까. 공예품 수집가들이 침을
삼키게 하는 동물상, 춤추는 여인상을….

장인들은 자유민이지만 수입은 신통치 않다. 그저 창작하는 즐거움으로 산다. 자
식들도 같은 일을 물려받는다. 일을 집어치울 수도 없다. 콘스탄티누스 황제는 다
른 조합들과 마찬가지로 장인 직업도 자식들에게 물려주도록 했다. 우리는 얼마 전
에야 심각한 인플레이션이라는 경제위기를 벗어났다. 황제는 고액 금화를 발행했지
만, 국가는 점점 더 기업의 자유시장에 말려들고 있다. 국영화를 하지 않는다면 어떻
게 될까! 따라서 모든 직업조합에 엄한 규정을 적용한다. 어쨌든 장인과 노예도 조만
간 사라질 모양이다.

4~5. 엠포리움
부두에 박힌 정박용
석재 고리.

티베리스 강의 배들은 둑을 따라 몇 줄씩 나란히 정박한다. 하역인부도 몰려든다.
도르래가 달린 기중기들이 둑에 쌓인 소중한 화물을 들어 올린다. 로마 사람들은 밀
은 물론이고 스페인산 기름도 식용이나 불을 밝히는 용도로 매일 1리터가량 소비한
다. 통에 담아 오래 묵힌 갈리아 포도주도 빼놓을 수 없다. 반쯤 땅에 묻은 항아리에
저장하고 걸쭉하게 발효되면 물을 걸러내야 하는, 이른바 '넥타르'보다 얼마나 뛰어
난 술인가! 도미티아누스 황제 치세에는 이탈리아 포도 재배자들이 알프스 산맥을
넘어 들어오는 갈리아산 고급 포도주에 대해 너무 거세게 항의하는 바람에 황제가
포도밭을 갈아 엎으라고 할 지경이었다. 하지만 바쿠스 신이 그리 되도록 가만히
있을까. 고맙게도 그런 명은 실행되지 않았다!

갈리아(Gallia)에서 포도주를 비롯해 많은 산물이 들어온다.

소금이나 식초에 절인 저장식품과 유약을 발라서 구워낸 도기도 들어
온다. 게르마니아 지방에서는 호박(琥珀), 이집트는 파피루스, 페르가뭄
(Pergamum, 터키 북서단 도시)에서는 양피지가 들어온다. 동양의 비단, 인도
의 산호와 작은 조각상, 아라비아의 향, 페니키아의 뿔고둥도 들어온다.
이 뿔고둥에서 아주 비싸고 귀한 자줏빛 염료를 채취한다.
아프리카에서는 타조의 털과 알, 기린, 야수와 흑인 노예가 들어온다.

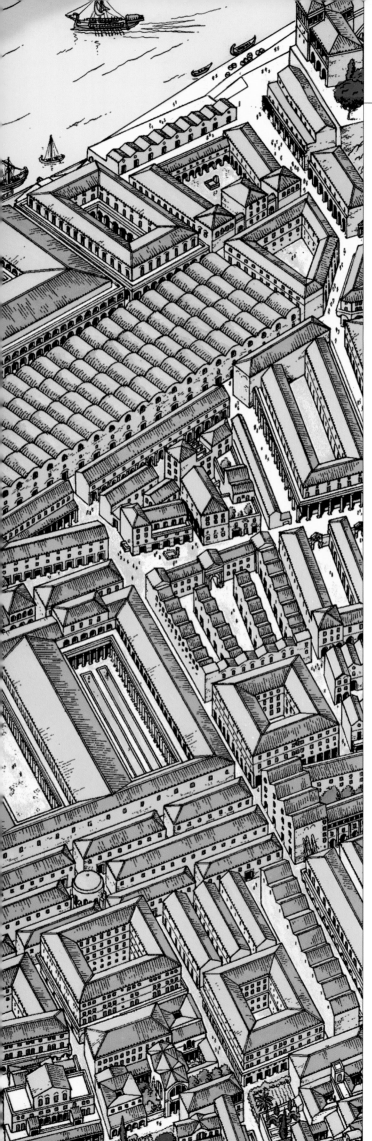

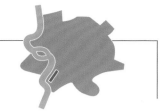

엠포리움

또 수단의 사금[나일강 상류
예 풍부하다]과 상아, 전세계의 대리석이 엠포리움 둑을 가득 채운다. 온갖 인종의 군중이 범선 곁에 몰려와 감탄하며 입을 다물지 못한다.

할일없이 배회하는 구경꾼, 선박 정비사와 뱃사공 등이 북적대는 곳에서 서기들은 침착하게 선주가 지켜보는 가운데 인부들이 배에서 내려놓는 자루와 항아리 숫자를 서판에 기록한다.

화물은 500m가 넘는 하역장 아이밀리아 주랑을 채운다. 화물은 그곳에서 시내 곳곳으로 다시 운반된다.

카이우스가 기다리던 배가 조금 전 부두에 도착했다. 튼튼한 쇠갈고리를 밧줄에 매고 배다리를 둑에 걸쳤다. 카이우스는 인부들에게 화물이 인도산 최고급 면직물이니 조심해 다루라고 채근했다. 풀리카트[Pulicat 인도
동남부 연안]식민지에서 들어온 최상품이니 구겨지지 않아야 한다고….

아니나 다를까 바빌로니아 양탄자 장사도 보였다. 그가 우리에게 활짝 웃으면서 다가와 한 장 팔려고 했다. 성가시기 짝이 없는 양탄자 장사를 어떻게 따돌릴까! 그러나 눈썰미 좋은 카이우스는 물건들이 형편없다며 거절했다. 그래도 양탄자 장사는 계속 달라붙었다. 우리는 갑자기 쏟아지는 소나기를 맞으며 내빼버렸다!

하역장과 빵가게들이 붙어 있는 광장 뒤편 길들은 불결하고 많은 물건으로 넘친다. 그 길을 따라 창고 서른다섯 채가 늘어서 있다. 공방들은 활기에 넘치는데도 커다란 사변형 벽돌 건물들은 이상하게 스산해 보인다. 모든 것이 똑같은 형태에 둔중하다. 진열창들에 독창성은 거의 없다. 화려하게 채색하지 않았고 창에 꽃장식도 하지 않았다. 온 세상의 물건을 쌓아두기만 했다. 자택에 물건을

왼쪽: 엠포리움 무역관 전경. 거대한 아이밀리아 주랑과 수많은 창고.

위 사진: 오스티아 샘 주변의 공방과 가게.

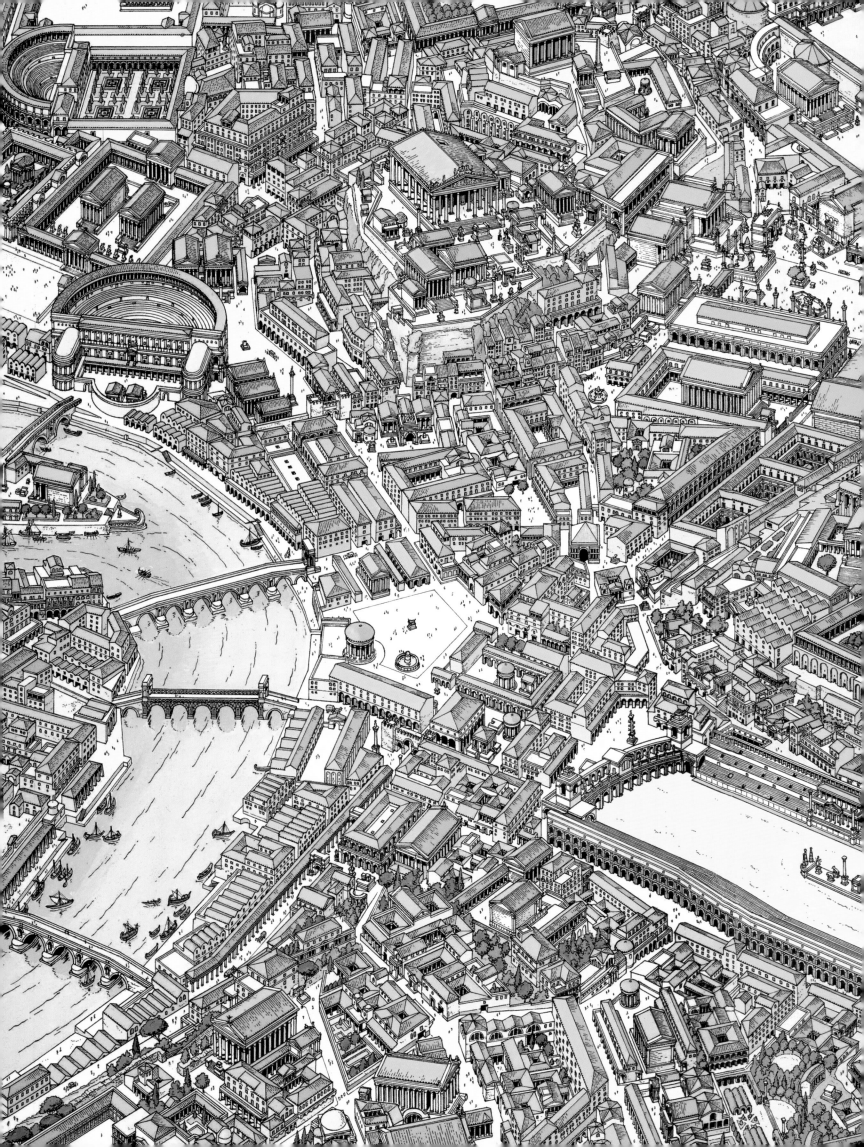

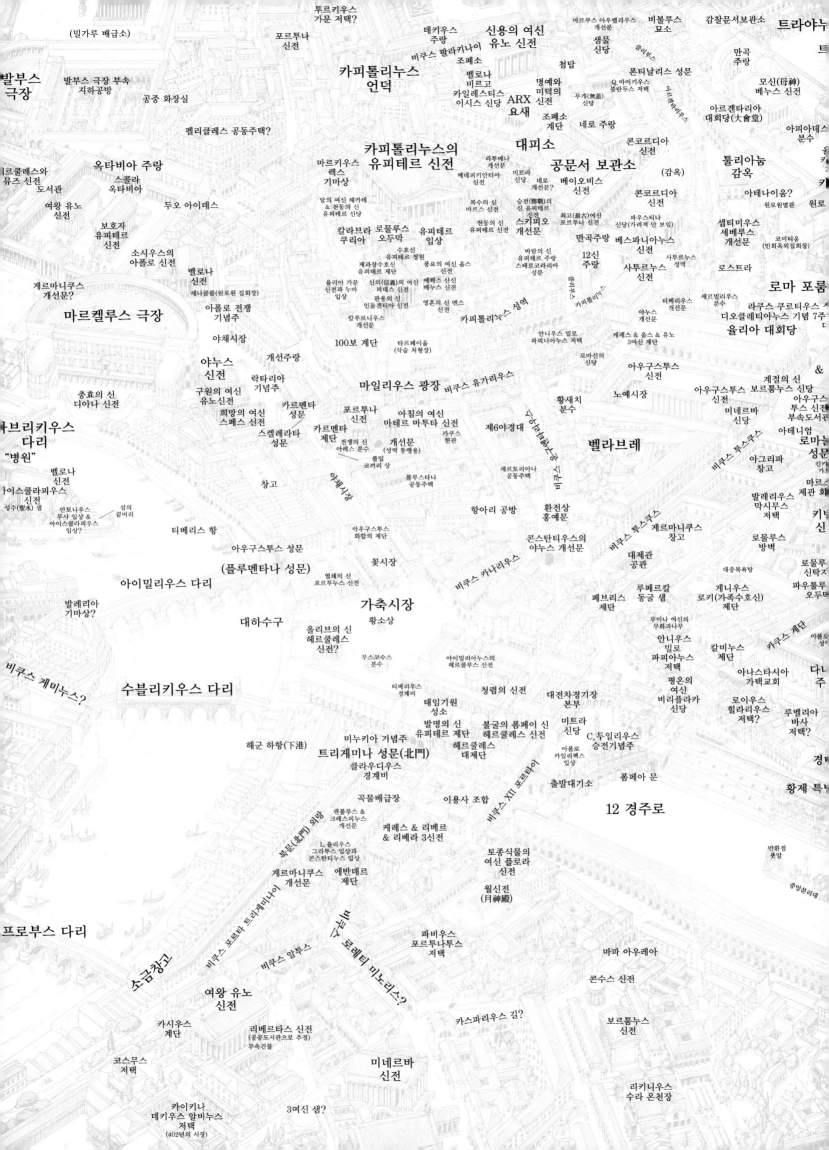

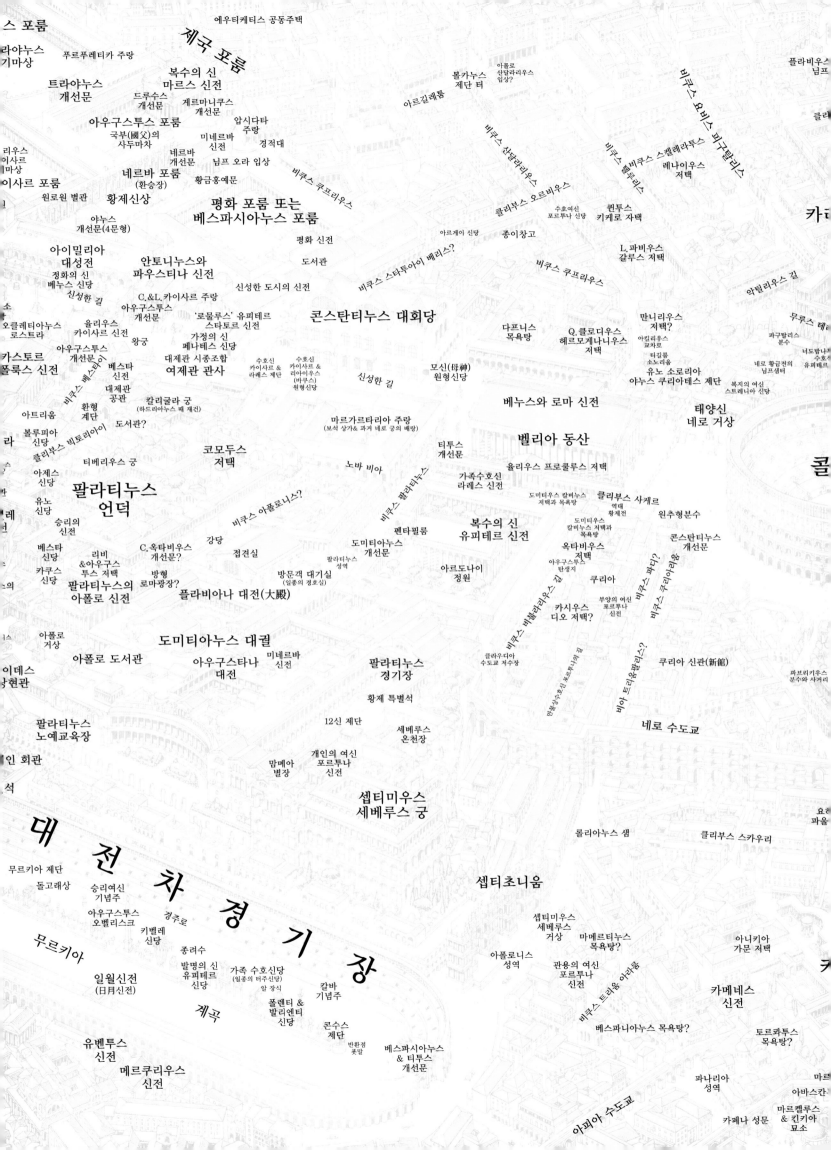

격투기선수
회관

콘코르디아
신당

세르빌리우스
파비아누스 저택
(158년의 집정관)

에스퀼리누스
포룸

마이케나스 궁
마이케나스 탑

베르길리우스
저택

티투스
저택

비쿠스 쿠르부스

오피우스 언덕

에스퀼리누스
성림(聖林)

실바누스
성소

비탈리아나 공동주택

아르게이
신당

온천수
저수장

의술의 신
미네르바 신전

시청

트라야누스
온천장
주랑현관

아이밀리우스
융쿠스 저택?
(127년의 집정관)

도예촌?

아르게이
신당

파구탈리스 언덕

트라야누스
온천장

브루티우스
프라이센스 저택
(180년의 집정관)

페트로니우스
막시무스 저택
(455년의 황제)

티투스 온천장

스콜라
파이스토룸 &
카플라토룸

검투사
훈련장

미세눔 해군기지

페트로니우스
막시무스 포룸

기계설비창

비쿠스 수미 코라기

목자의 분수

대훈련장

콜로세움 부속
병기고

플라비우스
클레멘스 저택과
미트라 신당

클리부스 수쿠사누스

사미아룸?

황금제단

검투사 탈의실

클레멘티의
해방노예
가택교회

황실
조폐소

샘

조폐소

마투티누스
야수조련장

비쿠스 카피티스 아프리카이

참나무숲
수호신당

갈리아인
훈련장

제국
노예교육장

비쿠스 롱기쿨루스

쿼르퀘툴라나
성문

클라우디우스
주랑

네로
님프 샘터

비쿠스 스타타이 마트리스

포로의 신
미네르브 신전

클라우디우스
신전

아르게이
제4신당

필리푸스 아랍스
저택

저수조와 동굴
샘터

비쿠스 카피티스 아프리카이

성녀상

신에게 바친
나무

모후(母后)
베스타 제단

C.스테리티니우스
제노폰 저택

바겔리우스 저택
(46년의 집정관)

클라우디우스 수도교

퀸투스
아우렐리우스
심마쿠스 저택

발레리우스 포플리콜라
막시무스 저택
(252년의 집정관)

디아두메니
아누스 저택
공보관

네로의 대시장

힐라리아나 대회당
(아티스 성소)

세르비우스 툴리우스 방벽

비아 카일리몬타나

우스 언덕
(퀘르퀘툴라누스)

돌라벨라,
실라누스 개선문
(카일리몬타나 성문)

여왕 이시스
신전?

발레리아
가문 저택

가택교회

수호신 요새 성소

순교자 성
키리아쿠스
일가의 집

카메네스 샘

제5야경대

무사귀환의 신
유피테르 신전

외인부대
(거주외국인안내소)

비쿠스 오노리스 & 비르투티스

신성한 나무

마리우스 막시무스
페르페투우스저택
(198년의 집정관)

감옥

메르쿠리우스 목욕탕

성림(聖林)

와 미덕의
신전

메르쿠리우스 샘

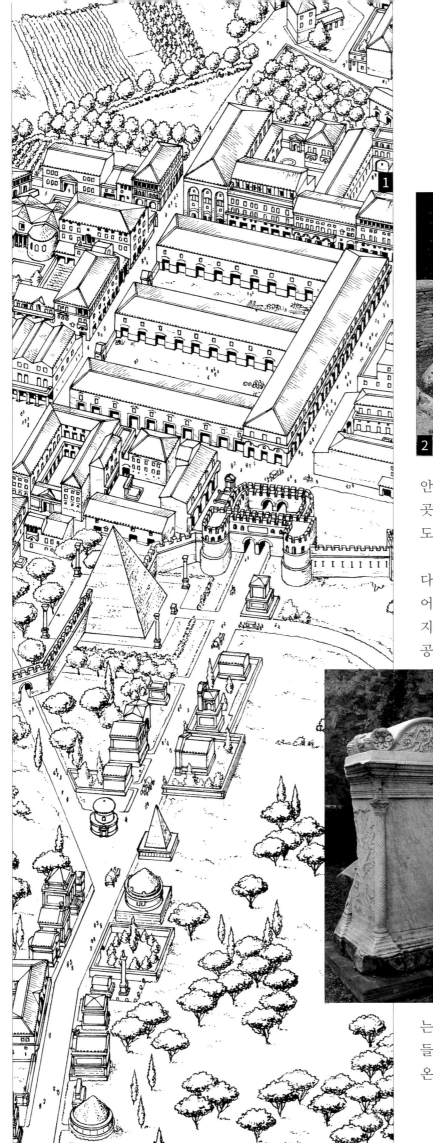

안전하게 보관할 곳이 없는 사람들이 이곳에 창고 한 칸을 빌려 물건을 보관하기도 한다.

일대에 필요한 노예들은 황제 직속이다. 그들은 군대처럼 몇 개 부대에 배속되어 엄한 규율을 따른다. 그리고 자신의 처지를 벗어날 어떤 희망도 없이 살아간다. 공노예는 절대 해방되는 법이 없다.

엠포리움에 무척 흥미로운 동산이 있다. 누더기 차림의 꼬마들이 무리를 지어 패싸움을 벌이며 뛰놀기도 하는 인공동산이다. '도편(陶片) 동산(몬스 테스타케우스 Mons Testaceus)'이라고 한다. 깨진 항아리 조각들이 수백 년간 30여 m 높이로 쌓였다. 그 틈에서 풀이 자라나 동산같은 모습이 되었다.

아침에는 선선하던 날씨가 오후부터 열대의 날씨처럼 무더워졌다. 우리는 아르밀루스트리 거리에서 간이식당에 들러 가볍게 목을 축이고 나서 데키우스 온천장으로 들어가 푹 쉬었다.

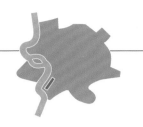

우리는 완전히 힘을 빼고 축 늘어진 채, 정원 잔디밭에 몸을 쭉 뻗고 누웠다. 카시우스는 반쯤 잠이 들었고, 나는 점점 시커멓게 다가오는 구름을 느긋이 올려다보았다.

오후 끝 무렵, 천둥이 치더니 시내에 물벼락이 쏟아졌다. 상인들은 가판대를 거두며 난리법석을 벌였다. 거리는 잠깐 사이에 텅 비었다. 물이 막힌 하수로에서 거센 물줄기가 치솟아 도로를 쩍쩍 갈라놓으며 흘러내렸다.

밤에 도무지 잠이 오지 않았다. 클로에가 천둥소리에 질려 무섭다며 우리 곁으로 왔다. 나는 클로에의 목덜미를 부드럽게 어루만지며 달래주었다. 밖에서 덧창 부딪치는 요란한 소리가 그치지 않았다. 어둠 속에서 개가 죽어라고 짖어댔다. 나도 가슴이 뛰었다.

하늘이 천천히 개고 폭우도 물러났다. 가느다란 빗줄기 소리만 들렸다. 뼛속까지 젖었을 야경꾼이 막사로 돌아가고 있었다. 그러다가 날이 밝았다. 방안의 둥근 기둥이 환하게 반짝였다. 클로에는 아직 일어나지 않았다.

우리가 베란다에서 과일을 먹고 있을 때, 베티우스가 티베리스 강물이 넘쳤다고 알려주었다. 부실한 건물 3채가 물에 떠내려갔는데, 홍수에 휩쓸린 사람들은 야경꾼들이 던진 밧줄을 붙잡고 용케 살아났다고 했다.

재앙을 당한 사람들이 그나마 크게 잃은 것이 없어 다행이다. 하지만 지붕이 떠내려갔고, 침대와 항아리 몇 개도 떠내려갔다. 이재민들은 지하창고나 다리 밑으로 들어가야 한다!

카피톨리누스 언덕

카피톨리누스 언덕 오르막길

오늘 아침은 더 춥다. 폭우는 그쳤지만 하늘은 잔뜩 찌푸렸다.

거리의 모든 사람이 흙탕물 속을 걸어 다녔다. 집집마다 앞길을 청소하고 상인들은 다시 좌판을 길가에 펼쳤다. 불법이지만 거침없이 그렇게 했다. 카이우스는 관청에 볼일이 있다며 떠났고, 나는 농경의 신이자 동지 무렵 숭배의 축제를 여는 사투르누스 신전 앞에 혼자 남았다. 바로 유명한 카피톨리누스 언덕 밑이다. 과거 개선장군들이 오르던 이 비탈길을 오르지 않을 수 없었다. 개선장군들은 자신들이 흘린 피처럼 붉은 얼굴로 민족의 갈채를 받으며 신 같은 존재가 되어 유피테르 신전을 찾아오곤 했다.

지엄한 카피톨리누스 언덕은 숱한 풍파를 겪었다. 로마 사람들은 언제나 이 성스런 언덕을 염려했다. 이 언덕은 천 년 전에 원래 로마를 독재로 다스리던 에트루리아 사람들이 정상에 지은 요새로, 라틴 세계에서 가장 오래된 성소였다. 에트루리아 사람들이 몰락한 이래 수백 년 동안 누구도 그곳에 살지 않았다. 지금도 여전히 그 기슭에만 주택 건설이 허용된다.

에트루리아 족이 들어오기 훨씬 오래 전, 로마가 기반을 닦던 시대에 로물루스는 로마의 인구를 늘리려고 캄피돌리우스의 일부를 둘러싼 신성한 숲속에서 이웃의 모든 천민과 불한당을 반겼다. 그래서 그곳을 안전하게 피신할 권리, 즉 비호권(庇護權)이 보장되는 불가침의 대피소라는 뜻으로 '아쉴룸(Asylum)'이라고 불렀다.

위협하는 듯 길가까지 튀어나온 바윗덩어리가 무섭다. 유명한 타르페이아(Tarpeia) 바위다. 이 바위 위에서 배신자들을 밀어 떨어트렸다.

타르페이아는 로물루스 시대의 여인이다. 타르페이아의 아버지가 요새 수호를 맡았는데, 사비니(Sabini) 족이 카피톨리누스 언덕을 포위했다. 타르페이아는 욕심이 많았다. 타르페이아가 물을 길러 나가자 적군 병사가 만약 요새 문을 열어주면 금팔찌를 주겠다고 유혹했다. 타르페이아는 만나는 병사마다 똑같은 약속을 받아냈다. 이렇게 흥정이 끝났고 타르페이아는 한밤중에 약속대로 문을 열어주었다. 첫 번째 병사가 약속한 팔찌를 준다며 너무 세게 던지는 바람에 그녀가 맞아 넘어졌다. 다른 병사들도 따라 했다. 결국 타르페이아는 금팔찌에 파묻혀 죽었다. 3세기 후, 만리우스 토르콰투스가 카피톨리누스를 침공한 갈리아 족 브렌누스에 맞서 싸웠다. 만리우스는 갈리아 연합군이 도망치듯 남겨둔 전리품의 미끼에 속아 넘어갔다. 로마의 황금이다! 배신자로 낙인찍힌 만리우스는 바위 위에서 유페테르 신전 앞으로 내던져졌다…. 그날부터 개선 행사마다 개선마차를 타게 된 모든 이들이 듣게 된 속담이 퍼졌다. "조심해, 타르페이아 바위가 바로 카피톨리누스에 있잖아!"

도미티아누스 황제가 폭정하던 시대가 5세기 전이다. 황제를 증오하는 적들이 많아 그는 혹시라도 암살당할까 늘 두려워했다.

그즈음, 작은 까마귀 한 마리가 바위에 앉더니 "다 잘 될 거야."라고 떠들었다. 이런 기적 같은 풍문에 도미티아누스는 한숨 돌리고 안심했다. 하지만, 풍문은 로마 민중에게 좋은 뜻이었다. 역겨운 폭군은 얼마 뒤 자객의 비수에 찔려 숨졌다.

오늘날, 타르페이아 바위의 전설은 거의 잊힌 편이다. 그 밑에 건물들이 들어섰다. 부서진 바윗덩어리가 굴러떨어질 때도 있다. 그 아래의 유가리우스 길은 산사태처럼 쏟아 내린 돌더미에 덮여 사라졌다.

카피톨리누스 광장에 도착한 사람들은 깜짝 놀라고 만다. 신들이 마술을 부린 듯 대리석과 금으로 만든 수많은 신전, 제단, 초상, 기둥, 승전배가 천지를 가득 채우기 때문이다. 그토록 좁은 공간이 어떻게 그토록 풍요로울까! 아테네의 아크로폴리스 언덕도 여기에 견주지 못하리라! 많아도 너무 많다. 새 시대를 맞을 때마다 상당수는 새것들을 들여놓으려면 치워야 한다.

가장 위대한 '유피테르' 신전이 광장 전체를 압도한다. 네모 반듯한 신전은 광장 가장 높은 곳에서 금빛으로 빛난다. 그 밑에서 모든 신과 군주의 대리석상과 청동상이 수호한다. 신들의 왕 유피테르가 근엄하게 상석을 차지해 있고!

건물 앞에서 수위가 함께 들어가 설명해주겠다고 했다. 물론 거저는 아니다. 그래도 어두운 성소 깊이 들어갈 수 있으니 얼마나 다행인지. 한 줄기 햇살만 올림포스 산의 주군 유피테르의 붉게 채색한 얼굴을 비추고 있었다. 나는 차츰 이렇게 이상한 빛에 익숙해졌다. 그 희미한 빛 속에서 이 세상 모든 민족의 보물이나 개선장군의 전리품이 가득 쌓여있었다. 옛날에 마케도니아에서 가져온 입상 아래 브렌누스의 명검이 보였다. 브렌누스가 패자를 저주했던 무서운 말이 퍼뜩 떠올랐다. 그러나 결국 로마가 승리했다.

영원을 바라보는 듯 오싹하게 고정된 청동상이 사나운 눈길로 나를 내려다본다! 로물루스와 레무스를 젖을 먹여 키운 암늑대상이다. 수수께끼처럼 로마의 힘을 상징하는, 세월을 거꾸로 가는 암늑대가 바로 눈앞에 있었다! 나는 로마의 심장을 만지고

1. 타르페이아 바위

2. 거장 미켈란젤로가 설계한 카피톨리누스 광장

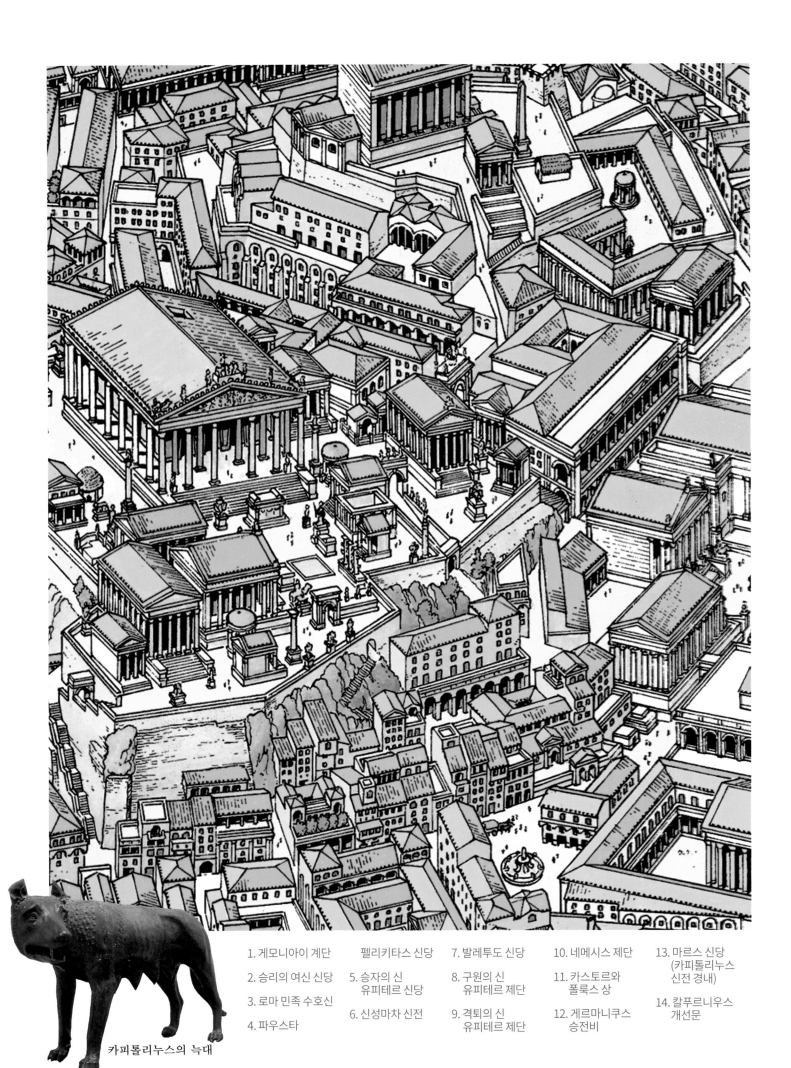

카피톨리누스의 늑대

1. 게모니아이 계단
2. 승리의 여신 신당
3. 로마 민족 수호신
4. 파우스타

펠리키타스 신당
5. 승자의 신
   유피테르 신당
6. 신성마차 신전

7. 발레투도 신당
8. 구원의 신
   유피테르 제단
9. 격퇴의 신
   유피테르 제단

10. 네메시스 제단
11. 카스토르와
    폴룩스 상
12. 게르마니쿠스
    승전비

13. 마르스 신당
    (카피톨리누스
    신전 경내)
14. 칼푸르니우스
    개선문

15. 베스파시아누스와 티투스 법원
16. Q.파비우스 막시무스, 레피두스 메텔루스 기마상
17. T.세이우스 기마상
18. 해전승전기념주
19. 클라우디우스 2세 상
20. 트라야누스 상
21. 헤르쿨레스 거상
22. 리베르 파테르 (바쿠스) 신상
23. 판다나 성문터, 로마 왕 7인 입상,
브루투스 상과 율리우스 카이사르 상 칼푸르니우스 개선문, 100칸 계단
24. 행운의 여신상
25. 카르빌리우스 막시무스 상
26. 성공의 신상
27. 마르스 상
28. 리키아 왕국의 헌납대
29. 휘게아 여신상
30. 마리우스 승전비

1. 신전 입구를
   재현한 부조

2. 고대 말기의
   카피톨리누스
   광장.
   (저자의 스케치)

있었다. 나는 혼자 남아, 우리 조상의 아궁이 속에 앉아 명상하고 싶었지만, 카랑카랑한 수위의 목소리에 내가 방문객일 뿐이라는 사실만 깨달았다.

에트루리아 왕 타르키니우스 프리스쿠스(Tarquinius Priscus)는 권력의 절정기에 엉성한 마을이던 로마를 그 이름에 걸맞은 도시로 바꾸었다. 프리스쿠스 왕은 유피테르에 바치는 거대한 신전을 세우려 했다. 이런 뜻에 따라 에트루리아의 일급 장인들이 광장 아래쪽 동네에 정착했다. 그때부터 그곳을 '에트루리아 사람의 거리'라는 뜻으로 '투스쿠스' 길이라 불렀다. 아무튼 해결해야 할 문제가 있었다. 유피테르의 아들이자 경계의 신 테르미누스(Terminus)의 작은 성소가 그 자리를 내놓으려 하지 않았다. 그래서 이 작은 성소를 새로 지을 성전 안에 포함시켰다. 유노(Juno)와 미네르바도 유피테르를 따라 새 신전으로 들어갔다. 두 여신을 각각 중앙홀 양측에 따로 마련한 봉안소에 모셨다. 그리스의 파르테논 신전보다 1세기 먼저 카피톨리누스 신전이 온 천지를 휘황하게 밝혔다. 하지만 이 신전도 다른 신전들처럼 파란만장했다. 공화정의 독재자 술라(Sulla) 치세에 불에 탔다. 그러다 기원전 69년, 갈바, 오톤과

비텔리우스가 싸운 전쟁 때 또다시 불탔다. 몇 해가 지난 베스파시아누스 황제 치세에는 잿더미에서 다시 일어났다. 황제는 예순의 고령이 무색하게 직접 팔을 걷어붙이고 돌덩어리를 들고 회반죽 칠을 하는 등 솔선수범하며 일꾼들을 독려했다. 이런 황제를 보며, 모든 로마 사람이 군주를 모범으로 삼아 따라 했다. 그때 노예들이 일하는 귀족들을 바라보는 희한한 광경이 벌어졌다! 붉은 목재로 깎은 둥근 기둥도, 찰흙으로 구운 조각도 보다 귀한 재료에 밀려났고, 심지어 아테네 올림포스 신전의 돌기둥을 재활용하기도 했다! 그렇지만 투스키아(Tuscia)의 고유한 지방색까지 잃지는 않았다. 로마가 어떻게 그보다 더 신성할 수 있을까! 9세기가 흘러가는 동안 공화정의 장군들은 유피테르 신 앞에 찾아와 공물을 바쳤다. 위대한 장군들은 자신들의 입상을 신전 안에 들여놓고 측랑 봉안소에 거대한 벽화로 자신들의 무용담을 재현했다. 그러다 콘스탄티누스 대제는 막센티우스를 물리친 뒤, 카피톨리누스 성역을 찾아 유피테르 신에게 제물을 바치지 않았다. 기독교도를 칭송했던 대제는 자화자찬했을지 모른다. 당시에는 로마 시내에 기독교도가 많지 않았지만 지금 그들의 교세는 크게 퍼지고 있다. 이미 기독교도 때문에 신전이 황폐해 보이지 않은가. 정말 그렇게 된다면 로마는 끝장이다!

광장을 끼고 있는 수많은 성소 가운데 '천둥의 신 유피테르' 신전은 아우구스투스 황제가 지었다. 신전마다 이런 식으로 신들의 별명을 붙이기도 한다. 황제가 폭풍우 속에서 살아난 데 감사하는 뜻으로 지은 신전이다. 황제가 가마를 타고 폭풍우 속에 행차하던 중, 벼락이 떨어져 횃불을 들고 뒤따르던 노예가 죽었다. 또 다른 '서약의 신 유피테르' 신전은 적장을 죽인 장군들이 적장의 유해를 바치는 곳이다. 아우구스투스의 영광을 기리는 오랜 관습이다.

언덕의 가장 높은 마루 사이 골짜기에, 공문서보관소가 누구도 침입할 수 없던 대피소 자리에 들어섰다. 웅장한 정면이 광장 쪽을 향한 이 건물에 국가의 모든 문서를 보관한다. 바로 그 뒤로 층계참처럼 둘로 갈라진 슬픈 게모니아니 계단(Scalae Gemoniae)이 나온다. 계단을 딛고 광장으로 내려가면 어두운 '툴리아눔' 감옥이다. 툴리아눔 감옥은 갈리아 족의 영웅 베르생제토릭스가 (카이사르에 패해) 죽은 저수장이었다. 계단에 아직도 붉은 핏자국이 선명하다. 갈고리에 찍힌 채 끌려가 티베리스 강물에 던져지던 죄수들의 피다. 다른 계단으로 올라가면 경고의 여신 '유노 모네타'의

1. 포룸에서 바라본 카피톨리누스 언덕을 재현한 르네상스 시대의 판화

2. 제단

1. 카피톨리누스
언덕에 있는
마르쿠스
아우렐리우스
개선문의 부조

2~3.
카피톨리누스
언덕 밑에
있는 공동주택
유적과 모형

신전 구역이다. '경고하는 여신'은 사람들이 바친 거위들을 유노 여신이 소중히 지키고 돌보기 때문에 이런 별명을 얻었다. 아무튼 모네타 여신은 화폐의 수호신이기도 하다. 갈리아 족이 밤중에 광장으로 기습해 들어왔을 때, 놀란 거위들이 무섭게 울며 경비병들을 깨웠다. 이에 갈리아 족은 혼비백산하여 퇴각했다.

이 신전 부근에 지금도 신성한 마편초가 무성한 오두막 이 있다. 로물루스 시대의 것으로 아주 오래된 오두막이다. 로물루스는 이 오두막에서 신탁을 받았다. 바로 곁에 있는 곳은 과거에 주화를 찍던 조폐소였다. 주화(Monetae)라는 이름은 바로 유노 모네타 성소에 붙은 공방에서 나왔다.

대학교육

아드리아누스 황제는 카피톨리누스 언덕에 고등연구기관 아테네 학당(Athenaeum)을 지었다. 아테나이움은 4세기에 대강당과 도서관이 붙은 로마의 첫 번째 대학이다. 교수 30여 명이 문학, 철학, 법, 수사학, 문법과 그리스어를 가르쳤다. 극빈층 학생은 장학금을 받았다.

로마 포룸

먼 옛날, 로마의 일곱 언덕 사이 계곡은 습지였다. 본디 시신을 매장하던 곳이다. 주민들은 그냥 언덕들 사이의 공터였던 이곳으로 내려와 물물교환을 하곤 했다. 그렇게 자연스럽게 넓은 장터가 자리 잡았다. 주민들은 장터에서 만나고 이야기도 나누었다. '포룸'이라는 옛말은 그저 '밖'이라는 뜻이다. 밖에 나가 수다 떨고 거래하는 야외 장터다.

그런데 지금은 어떤가? 무거운 대리석 덩어리와 커다란 기념비가 즐비한 광장에 감탄할 수밖에 없다. 이곳에서 신들과 더불어 천 년도 넘는 격동의 역사가 펼쳐졌다.

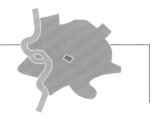

에트루리아의 왕들은 습지를 단단히 굳히고, 그곳에 거대한 하수로를 팠다. 큰 하수로 '클로아카 막시마'를 통해 고인 물이 티베리스 강으로 흘러나갔다. 이렇게, 로마 포룸은 가장 크고 중요한 장소였으며 이곳에 있는 주요 신전들은 외적에 맞서 로마 사람들의 믿음을 키우고 다졌다. 광장의 위상은 공화정 시대부터 높아졌다. 쿠리아 성전에 원로원이 자리잡았고, 연단에서는 변호사들이 거만하게 일장연설을 했다. 쿠리아 성전이 법과 사업을 다루었다.

1~ 2. 쿠리아

3. 쿠리아 건물 앞에 있던 집회장 분수대(바티칸 박물관)

그러나 내전 시대에 광장은 피로 물들었다. 율리우스 카이사르의 고모부 마리우스 장군은 자기 생각에 동의하지 않았다고 원로원에서 나오던 위원들을 검으로 학살했다. 독재관 술라(Sulla)는 마리우스 추종자들의 수급으로 광장 분수를 장식했다. 클로디우스 도당은 카이사르의 적들을 학살하고 원로원에 불을 질렀다. 키케로의 동생 퀸투스는 시신 더미 속에서 목숨을 구했다. 그날 밤, 시민들은 광장에 흥건한 피를 스펀지로 닦아내야 했다!

황제들의 로마

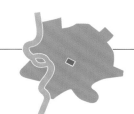

공화정이 끝나고 제국 시대에 들어서면서 정계는 평온을 되찾았지만 포룸은 그렇지 못했다. 늘 환희와 고통과 분노로 넘쳤다. 로마 사람들은 사건이 터질 때마다 여기 모였다. 전염병이 돌면 시민들은 신의 은총을 받아 살아나려고 했다. 전쟁이 있을 때는 원로원 문간에서 전황을 들으려 초조하게 기다렸다. 원로원에서 패전 소식을 알리면 가게들은 문을 닫고 모든 거래를 중단했다. 고관의 장례식을 치를 때면, 고인의 아들은 뱃부리로 장식한 연단 '로스트라(rostra)'에 올라 추도 군중 앞에서 추도사를 낭송했다. 황제의 비위를 거스르는 책자를 이곳에서 불태워 버리기도 했다.

1. 원로원 위원,
변호사 키케로

2. 포룸. 저자가
재구성한 스케치.

신들조차 포룸에 나와 뜻을 폈다. 신들은 우유나 피를 퍼부었다. 사투르누스(Saturnus) 신전 위로 무지개를 띄우기도 하고 세 개의 태양을 띄우기도 했다! 먼 옛날, 벌떼가 무더기로 죽어 광장 한복판에 쌓였다. 시민들은 적들이 민회의 옥외집회장으로 쳐들어온다고 수군댔지만, 너무 질겁해 착각했을 뿐이다!

가벼운 바닷바람이 구름을 밀어냈다. 하늘은 다시 로마를 청명하게 밝힌다. 신들은 언제나 로마에 관대하다. 신들은 절대 오랫동안 성화를 부리지 않는다. 카이우스가 돌아와 우리는 함께 어슬렁대는 무리에 섞여 마르스 연병장에서 금융가 오르막길을 따라 광장으로 향했다. 각 노점마다 직원들이 서로 부르며 떠드는 소리가 요란하다. 번지르르한 탁자 위로 돈 꾸러미에서 쏟아지는 은전 소리도 요란하다. 점포에서, 시리아의 드라크마 은화를 로마 데나리우스 은화로 환전한다. 이곳에 상인이 번 돈을 맡겨두면, 점원은 돈을 놀려 이익을 남긴다. 또 이곳에서 자금이동, 즉 송금에 필요한 서류도 작성한다. 노점 앞 길가에서 이런 식으로 거래한다. 푸줏간과 환전상과 좌판은 조금도 다르지 않다.

그런데, 로마 사업의 중심지, 아르겐타리아 대회당에서 친구 카이우스에게 불편한 일이 생겼다. 그는 재산 일부를 대담하지만 정직하지 않은 투기꾼에게 맡겨두었는데, 투기꾼은 일을 그르치자 파산을 선언했다. 투자자 10명도 덩달아 망했다.

사람들이 환전하며 일을 보는 동안 나는 경매장을 구경했는데, 제법 흥미진진했다.

셉티미우스 세베루스 개선문과 베스파시아누스 신전. 그 뒤쪽으로 카피톨리누스의 중세 궁전 기단석으로 사용된 공문서보관소의 잔해가 보인다.

많은 사람이 특권층과 그들의 컬렉션에 감탄했다. 어떤 변두리 중년 부인은 산더미처럼 쌓인 반지와 목걸이, 팔찌를 멍하니 바라보았다. 경매사는 호가를 올리며 노련히 경매를 이끌었다. 하지만 경매사는 작은 사내가 전시 탁자에 접근하여 사파이어가 박힌 금목걸이를 슬쩍 하는 것을 눈치채지 못했다. 그러나 사내는 내게 들켰다.

나는 그자의 어깨를 붙들었다, 그러나 사내는 뱀처럼 내 손을 뿌리쳤다. 고함이 터지고, 나는 도망치는 놈을 가리켰다. 나는 도둑놈을 덮쳐 붙들었지만, 발목을 부츠에 차이는 바람에 놓쳐버렸다. 도둑놈은 금세 셉티미우스 세베루스 개선문 쪽 군중 속으로 사라졌다. 이렇게 사라지는 그를 보고 사람들이 세상 여러 나라 사람에 대해 쑥덕대었다. 손짓 발짓 하면서 이렇게 떠들기도 했다. "트라키아와 사르마트 농부는 자기네 말들의 피를 먹고 살고, 이집트 사람은 나일 강에서 멱을 감고, 킬리키아(Cilicia 소아시아, 로마 속주) 사람은 사프란을 몸에 뿌리고, 아랍 사람들과 시캄브리(Sicambri 라인 강 동부지역)사람, 에티오피아 흑인도 그렇다…."

거리에 나온 대부분의 사람이 황당한 싸구려 물건을 순진한 사람들에게 팔아치우려 했다. 대부분 오리엔트 출신이다. 이런 식으로 로마를 정복할 장사꾼들이다. 오론테스(Orontes. 시리아의 강) 강물을 티베리스 강물에 쏟아 붓겠다고! 그러니 시인 호라티우스(Horatius)가 개탄했을 만하다. "시리아 풍각쟁이, 약장수, 기부금 구걸꾼, 무언극 광대, 기생충 같은 허풍꾼이라니!" 레반트 사람들 모두 얼마나 거머리 같고, 또 자기네 없이는 못살 것처럼 구는가!

이렇게 무심한 군중들 속에 어디서 도망친 놈을 찾을까? "세상에, 어쩌면 이렇게 앞이 캄캄할 수 있을까?" 점쟁이 여자가 내 소매를 잡아당겼다. 동전 한 닢을 주고서야 점쟁이를 뿌리칠 수 있었다. 점쟁이는 베누스 여신이 나를 생각하고 있다고 했다. 그럴까, 나는 온통 클로에 생각뿐인데!

나는 이런 혼잡에 떠밀려 원로원 건물 앞까지 떠밀려갔다. 문들은 활짝 열려 있었다. 햇살이 너무 눈부셔, 나는 도도한 대리석 승전비들 밑으로 어둑한 실내에서 무슨 일이 벌어지는지 어렴풋이만 볼 수 있었다. 원로원 위원은 모두 600명이다. 그러나 콘스탄티누스 황제는 2천 명으로 늘렸다.

대부분이 상당히 나이가 들어, 문자 그대로 '원로'이자 훌

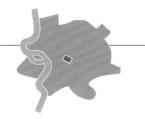

룡한 조언자라고 한다. 가장 명예로운 자리다. 도대체 위원들의 실권이 얼마나 될까? 위원들의 재산은 막대하다. 황제는 어쩌다 원로원 의견을 묻기도 하지만 대체로 무시한다. 원로위원은 행정을 조언하는 위신이나 누린다.

원칙상 원로원은 한 달에 이틀씩 모인다. 이 회기 중에도 회의가 10시간을 넘기면 위원들은 밖에 나가지 못한다며 발을 동동 구르며 조급해한다. 여름에는 동료 위원이 열심히 목청 높여 연설하는 동안 "목소리 한번 대단하구만!" 하고 칭찬하며 눈을 감고 조는 위원들도 있다. 겨울에 문을 열어두어야 할 때는 추위 때문에 논의를 중단하기도 한다. 이런 회의를 일깨우는 웃기는 사건이 일어났다. 열띤 논란 도중 어떤 위원이 시인 오비디우스의 사위를 털 빠진 늙은 타조 취급한 것이다. 머리카락이 듬성한 시인의 대머리 사위는 야유에 울분을 참지 못하고 통곡했다. 동료들은 박장대소했다!

나는 콘코르디아(Concordia) 신전 부근에서 투덜대며 나타난 카이우스와 다시 만났다. 카이우스는 어설픈 금융인을 고발했다. 나는 개인과 계급의 상호이해를 상징하는 신전의 성소를 그에게 보여주었지만 카이우스의 반응은 시큰둥했다. 내전 때 귀족들에게 착취당하던 평민들의 폭력으로 무너진 신전인데, 신전의 단호한 적인 집정관 오피미우스 덕에 잿더미에서 재건되었다. 준공식 전야에, 누군가 웃기는 낙서를 건물에 남겼다. "불화의 여신이 화합의 여신에게 바친 신전이로세!" 이 신전에서 키케로가 '카틸리나를 고발하는 명연설'로 알려진 네 번째 「반박문」을 발표했고, 마르쿠스 안토니우스(Marcus Antonius)는 아내와 함께 식당으로 사용했다.

5. 로마의 기점 표석

6. 12신 주랑

7. 사투르누스 신전

신전 맞은편 로마의 기점과 도로원표(道路元標) 사이에 로스트라 연단이 서 있다. 도로원표는 로마와 지방 주요도시의 거리를, 기점은 로마와 외국의 거리를 표시한다. 연단을 로스트라(Rostra, 뱃부리)라 부르는 까닭은 아우구스투스 황제 때부터 (그가 안토니우스 함대를 격파한) 악티움 해전에서 침몰한 적선들의 뱃머리로 장식했기 때문이다. 연단에서 카이사르와 키케로가 열변을 토하던 시절이 언제였던가, 너무 오랜 세월이 흘렀다. 또 그들의 대중연설을 방해하려고 반대파가 장의자로 막아두었던 시절도 까마득한 옛날 일이다! 위대한 웅변가 키케로의 목소리를 영원히 틀어막으려고 그의 손과 머리를 바로 여기에 내걸지 않았던가!

연단 발치의 작은 제단에 누가 관심이나 둘까. 사람들은 이제 제단이 누구를 기리는 것인지조차 기억하지 못한다. 대장장이와 불의 신 불카누스에

게 바쳤다는 주장도 있다. 그래서 해마다 이곳에서 생선을 구워 바친다. 그러나 숲과 밭의 신 실바누스에게 바친 것이라고 믿는 이들도 있다.

로마에서 가장 오래된 축에 드는 사투르누스 신전은 보물창고로 사용한 높은 기단 위에 둥근 화강석 기둥을 올렸다. 오래 전, 국고의 기본이던 '사투르누스의 금고'는 원로원이 관리하는 시의 금고였을 뿐이다. 난간에 붙은 거대한 기둥에 공화정 때 뿌리내린 고대의 법률이 새겨져 있다. 나는 그 안으로 들어가 수 세기 동안 촛불에 그슬린 시커먼 대리석에 어지간히 얼어붙고 말았다. 엄숙하고 호전적 분위기가 짙다. 곳곳에 세계 정복에 나섰던 옛 군단들의 독수리 표장이 늘어서 있다. 희미한 불빛에 비친, 기름을 바르고 붕대를 두른 이상한 신상의 그림자가 벽에 너울댄다.

사투르누스 신전.
옆은 셉티미우스
세베루스 개선문.

사투르누스 신전과 베스파시아누스 신전에 가려진 작은 '12신 주랑'은 카피톨리누스 언덕에 움츠리듯 기댄 모습이다. 몇몇 노인은 아직도 자신들이 유피테르가 지상에 벼락을 치기 전에 올림푸스 산의 신들에게 충고를 부탁하던 모습을 보았다고 장담한다.

길게 뻗은 신성한 길 '비아 사크라'는 더위도 까맣게 잊을 만큼 멋지고 우아하다. 건물들 한쪽에서 귀족의 명예로운 자리를 지키는 길이다. 어쨌든 할 일 없이 배회하는 부랑자와 거지의 행렬이 끊이지 않는다. 장터의 덩치 큰 거인은 카이우스에게 파티 연출을 맡아주겠다고 접근했다.

무언극 광대는 저녁때 비스듬히 누워서 먹는 식탁(triclinium)을 재미있게 해주겠다며 웃겼다. 요리를 제안하는 자도 있었다. 이렇게 실업자들은 광장 장터에 나와 부자

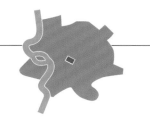

들의 눈길을 끌기 위해 아우성친다. 요즘에는 노예가 더욱 귀해져서, 싼값에 날품을 파는 사람들이 많다.

길가의 차일 밑은 아폴로 숭배자들의 세계다. 웅성거림 속에서 튀는 목소리가 있다. 창공에서 햇볕은 뜨겁게 타오르는데, 공무원은 무심히 정오를 외쳐 알린다. 그러면 각자 자기 일자리로 뿔뿔이 흩어진다. 청년들은 율리아 대회당의 계단에 주저앉아 격자무늬를 그려놓고 병정놀이를 즐긴다. 이런 놀이에 금세 많은 구경꾼이 몰려들어 내기를 걸고 싸움박질을 한다. 이때 제복 차림의 하인이 길을 비키라며 나타났다. 흑단처럼 검은 피부의 에티오피아 가마꾼 넷이 둘러맨 무거운 가마가 군중을 헤치고 티베리우스 개선문 밑으로 빠져나간다. 뒤따르는 많은 노예와 식객을 보면 최근 벼락출세한 자일 테지!

가마를 탄 사내는 으스대며 금실로 수놓은 흰 겉옷과 번쩍이는 값비싼 가락지들을 과시한다. 사내는 강아지를 천천히 쓰다듬으며 놀라 바라보는 사람들을 비웃는다. 가마 곁에 붙어서 '노멘클라토르'(nomenclator) 직책을 맡은 노예는 길에서 마주치는 주요 인사들의 이름을 크게 호명한다. 그래야 이름을 쉽게 잊지 않을 테니까….

바닥이 빤한 로마 사회에서 사람들은 비위가 상해도 그냥 참고 넘긴다. 사내는 카이우스에게 손짓으로 인사하고 휑하니 지나간다. 사내는 '클라리스무스'(clarissimus) 계급인 카이우스 보다도 더 높은 '일루스트레스'(Illustres) 계급이다. 아무튼, 사내는 카이우스가 황제를 자유롭게 만나는 사실을 몰랐던 모양이다.

그때 누군가 군중을 헤치고 허둥대며 달려와 재앙을 목도한 표정으로 라인 군단이 전멸했다고 외쳤다. 이 소식은 삽시간에 퍼졌다. 소식을 전한 사람은 더 자세한 이야기를 늘어놓았다. 군단이 끔찍한 매복 공격을 받았으며, 생존자들은 늪지에 갇혀버렸다고! 그는 자신이 콘스탄티누스 황제의 이복형제 달마티우스(Delmatius)의 켄투리오(Centurio) 부대원이며, 달마티우스도 전사했다고 주장했다.

이 소식을 들은 사람들은 질겁해 율리아 대회당 구역의 가게문을 닫기 시작했다. 어떤 금은세공사는 서두르다 넘어져 의치로 쓸 금쪼가리를 죄 길바닥에 쏟았다. 하지만 우리는 콘스탄티누스 황제가 제국을 평정하고 야만족이 국경 너머에서 잠잠해 지리라 생각했다. 창백하게 질렸던 나도 나팔소리에 정신을 차렸다. 로스트라에서 로마 시장은 시민을 안심시키려 대중연설을 했다. 어떤 전투도 없었고, 달마티우스도 무사하다고. 그리고 건장한 병사 둘이 고약한 거짓 소식을 늘어놓던 자를 끌고 갔다. 그 자는 질척한 툴리아눔 지하감방에서 며칠 쯤 썩게 되었다!

1. 카피톨리누스 오르막에서 바라본 포룸

2. 율리아 대회당 유적

3. 아이밀리아 대회당 벽장식 저부조

율리우스 카이사르는 율리아 대회당을 짓고, 그 대회당에서 '켄툼비리'(centumviri)
라는 100인으로 구성된 일종의 민사법정을 개최하려 했다. 로마 사람들은 타고난 소
송꾼이다. 대회당 중앙홀은 만원이었다. 환호하는 사람들은 패배한 변호사를 극성맞
게 응원한다. 변호사가 동원한 박수부대원들이다. 변호사는 원로위원의 아들이 자신
을 괴롭혔다고 고발한 아름다운 매춘부를 옹호했다. 각 송사마다 이동식 칸막이로
분리되어 재판이 진행되지만, 한쪽 변호사의 쩌렁쩌렁한 목소리에 다른 칸 변호사
의 목소리는 들리지도 않는다! 이런 상황이라 원로위원 출신

변호사 도미티우스 아페르는 발끈해 변호를 중단하기도 했다.
"저쪽에서 변론하는 자가 대체 누구여?" "루키니우스입니다"
라고 누군가 답했다. "그래, 그것도 변론이라고!"

그런가 하면, 또 다른 변호사 갈레리우스 트라칼루스는 옆쪽
칸의 송사에 참여한 군중을 자기편 박수부대로 동원할 만큼 수
완이 좋다! 또 마르쿠스 안토니우스는 크라수스 또는 호르텐
시우스처럼 냉엄한 변증법에 열정에 넘치는 웅변으로 맞서기
도 했다. 호르텐시우스는 비록 키케로에게는 패했지만, 상대방
의 논지를 무색하게 만들어 항상 이겼다. 단순명쾌한 표현에 뛰어난 칼부스도 병약
하지만 말솜씨 하나만은 얼마나 대단했던가! 기막힌 인물일 수밖에 없다. 칼부스의
보좌관은 "하느님 맙소사, 단 몇 마디 웅변으로 확 뒤집다니!"라며 감탄했다.

매춘부를 변론하던 인물은 신통치 않은 엉터리였다. 그러나 여자는 자기변호를
할 줄 알았다. 건방진 도련님께서 영업이 끝난 시간에 찾아와 억지로 들어오려고 했
다는 점을 증명했다. 결국 그녀는 박수를 받으며 풀려났다.

로마 포룸을 동서로 가로지르는 신성한 '비아 사크라' 길가 대회당에 걸린 그림들
앞으로 애호가들과 익살스러운 사람들이 몰려든다. 여기 걸린 그림들은 고상하지 않
은 것도 꽤 있다.

1. '흑대리석 기념비' 지하에 불카누스 제단과 로물루스, 운명의 여신 파르카이 상, 호라티우스 코클레스의 입상이 있다.

2. 콘스탄티우스 기마상

3. 셉티미우스 세베루스 기마상

4. 민회집회장(코미티움) 분수

5. C : 두일리우스 기념주

6. 막시미아누스, 콘스탄티우스, 클로루스, 콘스탄티누스 입상.

7. 시정관 집무실

8. 오레스테스 묘소

9. 사투르누스 제단과 실바누스 상

10, 11. <로스트라 노바> 연단에 술라, 폼페이우스, 카이사르, 옥타비아누스 기마상, 테우타 왕비와 피데나스 족에 살해된 대사들의 입상이 있다

12. 하드리아누스 상.

13. 막센티우스, 로물루스, 레무스 상의 받침돌

14. 야누스 신전

15. 아우구스투스 상

16. 파비우스 개선문 : 그 뒤에 가려진 부분은 투투누스 마투누스 신당과 살로니누스 상

17. 오케아누스 신상으로 장식한 툴리아눔 샘과 라우툴라 샘

18. 모에니아 기념주

19. 신성한 포도, 올리브, 무화과 나무. 마르시아스 상

20. 국부(國父)기념주

21. 디스 파테르 신에 바친 로마 중심점 유적

22. 로마 기점

23. (가려진 부분) 유투르나 신당과 샘, 급수대와 포룸 경비대초소, 콘스탄티누스 상

24. 율리우스 카이사르 신상

에우티케티스 공동주택

제국 포럼

스 포럼

라야누스
기마상

반암(斑巖)
현관주랑

복수의 신
마르스 신전

트라야누스
개선문

드루수스
개선문

게르마니쿠스
개선문

아우구스투스 포럼

후진주랑

국부(國父)의
사두마차

미네르바
신전

경적대

이사르
마상

네르바
개선문

님프 아우라 입상

비쿠스 쿠프리우스

이사르 포럼

네르바 포럼
(환승장)

후광
홍예문

원로원
별관

황제신상

베스파시아누스 포럼
(평화 포럼)

야누스의 4문형
개선문

평화신전

아이밀리아 대회당

안토니누스
& 파우스티나 신전

도서관

29

정화의 여신
베누스 신당

신성한 도시의
신전

14

20

비아 사크라

C.& L.카이사르 주랑

콘스탄티누스
대회당

34

아우구스투스
개선문

개국시조 '로물루스'
유피테르 신전

디오클레티아누스
로스트라

카이사르
신전

37

38

39

24 25

40

페나테스
신당

41

32

레기아

16

28

카스토로 &
폴룩스 신전

아우구스투스
개선문

제관하인조합
여제관 공관

수호신
카이사르 &
라레스 신당

리아이우스
원형신당

비아 사크라

31

베스타 신전

23

대제관 공관
(왕궁)

가이우스
가문 현관

환형계단

칼리굴라 궁
(하드리아누스가
재건)

마르가리타리아 주랑?

33

볼루피아
신당

도서관?

라

빅토리아이

클라부스

콤모두스
대전(大殿)

35

가묘

티베리우스 궁

노바 비아

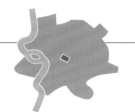

갈리아 사람을 흉측하게 묘사한 그림이 오랫동안 이야깃거리가 되었다. 갈리아 대사를 혀를 내민 고약한 목동의 모습으로 재현한 초상이었다. 대사는 거저 주어도 안 가져가겠다며 독창성 없는 그 그림을 유감스러워했다.

광장 북쪽으로 아이밀리아 대회당의 아케이드가 이어진다. 공화정 시절에 아이밀리우스 파울루스가 건설했는데, 이 명문가는 여전히 시샘이 나리만치 훌륭하게 아케이드를 관리한다. 아이밀리우스 가문은 2층 창문틀 위 황금방패에 자기네 조상의 초상들을 걸어놓았다. 모든 것이 화려하기 그지없다. 대리석부터 장식조각까지 모두 세련된 최고급을 사용했다. 건물 정면에 걸린 해시계는 행인들에게 현재의 시간을, 건물 안쪽의 물시계는 시간의 흐름을 보여준다. 분주하게 오가는 사업가들에게 더할 나위 없이 요긴한 물건이다. 플리니우스는 아이밀리아 대회당을 세계에서 가장 훌륭한 3대 건물 가운데 하나로 평가했다.

건물 정면 주랑 앞에서, 청동항아리 장수들이 가판대를 펼쳐놓고 손님들에게 명품이라고 호객한다. 바로 그 앞 계단에 붙은 '정화(淨化)의 여신' 베누스 신당의 난간 주변에서는 야바위꾼들, 사기꾼들이 광장으로 나가 한탕 할 기회를 엿보며 서성거린다. 사기꾼들이 군단병처럼 많다는 것을 하늘에서 다 아시겠지만!

앞마당에 입상과 신당과 기념비가 즐비해서 할 일 없는 사람들을 끌어들이고 있는 듯했다. 대부분 사기꾼이나 그보다 더 못된 투기꾼들이다. 광장에 죽치는 이런 자들을 '광장패거리'라는 뜻으로 '포렌세스'(Forenses)라고 부른다.

법정에서 변론했던 변호사를 웃으며 즐거워하는 한 무리가 뒤따른다. 그들

1. 카이사르 신전. 아우구스투스 개선문과 '아궁이' 즉 가정과 신전을 지키는 '성화(聖火)'의 여신 베스타 신전

은 신출내기 변호사의 첫 번째 변론 성공을 축하하기 위해 전통대로 반인반수족 마르시아스 석상 머리에 장미화관을 씌워주었다. 그들은 모두 한껏 들떠서 석상 밑으로 몰려들었다. 하지만 마르시아스는 아폴로의 피리 소리에 감히 도전했다가 어떻게 되었던가? 연주가 서툴러 패한 것이 아니라, 건방지게도 너무 연주가 뛰어나서 죽었다. 질투심에 불탄 아폴로가 산 채로 그의 가죽을 벗겨버렸다!

순진한 마르시아스의 배불뚝이 대리석상은 자기를 피해가려는 자들이나 못된 고리대금업자들도 위협한다. 마르시아스가 보기에도 민망해할 정도로 추한 자들이다. 한편에서는 방금 해방된 노예들도 주인에게 모자를 씌워준다. 꽁지가 불룩하게 붙은 자유를 상징하는 모자다.

나는 어릴 적에 수에토니우스의 「12인의 황제」를 읽었는데, 이 책에서 아우구스투스 황제의 딸 율리아가 이곳으로 은밀히 데이트하러 나오곤 했다. 공주는 열정이 많은 처녀였던 모양이다. 주변에 무성한 무화과, 올리브 나무의 그늘 밑에서 자라는 포도나무는 분명 그 처녀들을 보지 않았을까?

막센티우스 황제가 다시 세운 검은 대리석비 밑에 로마 전설의 시조 로물루스가 묻혀 있다고 한다. 사실 이곳은 시내에서 가장 수수께끼 같다. 신비한 우물 '라쿠스 쿠르티우스'도 마찬가지다. 우물은 광장이 늪지였던 시대를 끝까지 증언한다. 과거, 어떤 로마 집정관은 이곳으로 말을 타고 달려와 지옥의 신에게 조국을 구할 방법을 물었다고

1. 베스타 신전

2. 베스타
신상들, 뒤쪽
건물은 경건제
안토니누스
황제와 황후
파우스티나 신전

1. 디오스쿠리 형제 신전

2, 5. 경건제 안토니누스 황제와
황후 파우스티나 신전

3, 4. 베스타 신전과 신당

6. 경건제 안토니누스 피우스

1. 보호의 신
유피테르 신전.
로물루스
신전이라고도
한다.

2. 경건제
안토니누스
부부 신전.
그 뒤로
보호의 신
유피테르 신전이
보인다.

한다. 까마득한 옛날 일이지만….

　카스토르와 폴룩스 신전은 광장에서 가장 아름다운 열주 같다. 쌍둥이 형제 카스토르와 폴룩스는 공화정 초기에 레길루스(Regillus) 호수에서 벌어진 전투에서 로마군단을 구했다. 원로원은 공로를 인정해 장엄한 성전을 지어주었다. 이곳에서 출생신고를 하고 환율을 고시한다. 그래서 엉큼한 돈놀이꾼들은 이 구석을 노련하게 오간다. 칼리굴라 황제는 카스토르와 폴룩스 입상 사이에 앉아 소박하게 추종자들의 알현을 받곤 했다. 황제는 이렇게 카스토르와 폴룩스 신전을 자기 궁의 응접실로 이용하면서 쌍둥이 형제를 문지기라고 불렀다.

　신전 계단 밑에서 카이우스를 만났다. 그는 작은 북을 두드리며 리듬에 맞춰 춤을 추는 무희를 넋을 놓고 구경했다. 무희는 속이 훤하게 비치는 하늘하늘한 옷을 걸친 몸으로 관중의 음탕한 야유도 아랑곳하지 않고 춤을 추었다. 그렇게 무심한 춤판 옆에 유투르나(Iuturna) 여신의 샘에서 기적으로 낫기를 바라는 불구자들과 환자들이 몸을 담그고 있었다.

　카이사르는 미녀를 끔찍이도 좋아했다. 카이사르라면 무희를 높은 별처럼 내려다보고 있지 않을까? 바로 그 연단 자리에서 광분한 군중은 암살당한 카이사르를 화장했다. 아우구스투스 황제는 훗날 그 맞은편에 카이사르의 신전을 세웠다.

　비아 사크라에서 콜로세움(Colosseum)으로 가는 길은 그 거대한 실루엣에 가려 앞이 잘 보이지 않는다. 그래서 아담한 베스타 신전은 가뜩이나 높은 벽 때문에 더욱 눈에 띄지 않는다. 베스타 신전에는 일곱 여제관이 로마의 영원성을 상징하며 절대 꺼지지 않고 타오르는 성화(聖火)를 지킨다. 여제관들만 그곳을 출입할 수 있다.

　왜 다른 사람들을 드나들지 못하게 했을까? 금지에 든 이들에게 불행이 닥쳤기 때문이다. 네로 황제는 신성모독이 두려워 신전 안에서 토가를 바닥에 끌며 그 위로 걸었지만 끝이 좋지 않았고, 여사제들을 모독하고 저주받은 엘라가발루스 황제도 비참

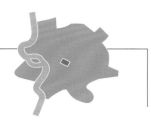

하게 죽었다. 메텔루스 장군은 이 신전이 화마에 휩싸였을때 아이네아스(Aeneas)가 트로이에서 가져온 신비한 팔라디움 신상을 건지려고 불더미 속으로 뛰어들었는데, 그의 용기는 크게 칭송받았지만 정작 자신은 불길에 두 눈이 멀어 성소의 내부를 보지 못했다. 야속한 신들이여!

신전의 둥근 바닥은 라티움 지역의 옛 오두막을 되살린 형태다. 태고의 말뚝들 대신 둥근 돌기둥을 세웠다. 지붕 밑에 뚫린 통풍구에 시칠리아의 시라쿠사 산 청동기와를 올려 연기를 배출한다. 이렇게 이 신전은 마을마다 모두가 이용하던 공공장소였던 시대를 영원히 보존한다. 남자들은 양 떼를 지켰고, 여자들은 털실을 짜고 있었을 때, 처녀들이 불을 지켰다. 그러니 그 불이 죽으면 곧 공동체도 죽는다는 뜻이다. 베스타 여신의 불이 꺼지면 로마도 사라지리라.

베스타 여신의 불을 지키는 여제관의 책임은 막중하다. 그런 만큼 대단한 존경을 받는다. 이런 성직을 무시했던 죄인은 벌을 받았고, 대제관은 행운의 나뭇가지를 꺾어들고 다시 불을 붙였다. 그러자 신들이 다시 호의를 보여 모든 것이 잘 되었다.

베스타 신전의 여제관들은 귀족 출신 중에 선발한다. 흠 없는 숫처녀라야 한다. 여제관 후보들은 여섯 살에 수도원에 들어간다. 그곳에서 30년 뒤에 나와서 결혼한다.

1~3. 티투스 황제 개선문. 예루살렘 점령을 기념했다.

1~2.
콘스탄티누스
대회당

그러나 그 긴 세월 동안 순결의 서약을 지키지 못한 불운한 처녀는 무서운 처벌을 받는다. 가마에 태워 밀봉하고 거창한 장례식을 치르고 나서 대역죄인 처형장 '스켈레라투스' 벌판에 생매장한다. 그녀의 애인은 죽도록 채찍질을 당한다. 여제관 가운데 스무 명 가량이 이런 불운을 당했다. 물론 그 가운데 무고한 처녀들도 있었다.

도미티아누스 황제가 치세의 업적을 돋보이게 하려고 희생양으로 삼은 코르넬리아가 바로 그런 경우였다. 그녀는 모진 고문을 당당히 견뎌내 오히려 고문한 자들이 뜨거운 눈물을 흘렸다지 않은가! 그러나 카누티아 크레스켄티나는 여제관들의 집으로 급히 피해 죽음을 피하려 했다.

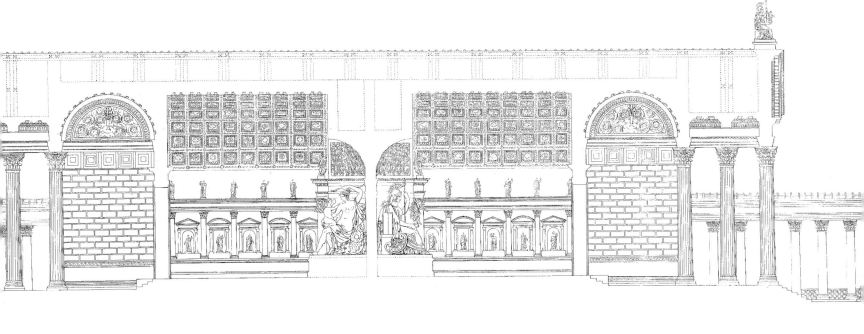

바로 부근의 작은 '레기아'(Regia) 건물은 누마 폼필리우스 왕의 '궁'이 아니었을까?
고대에 사람들이 쉬쉬하던 수수께끼를 간직한 건물이다. 카이우스가 수수께끼를 풀
어주었다. 카이사르의 셋째 부인 폼페이아를 은밀히 짝사랑했던 클로디우스가 여자
로 변장하고 돌연 축제에 나타났다고. 그런데 클로디우스는 그 자리가 여자들끼리
나체 파티를 벌이던 곳인 줄 미처 몰랐다. 클로디
우스는 결국 발각되었다. 이런 추문에 거물 카이
사르는 펄쩍 뛰면서 오히려 아내를 힐책했다. "카
이사르의 마누라가 어떻게 의심을 살 수 있단 말
인가!" 4세기가 흘렀지만 레기아의 벽은 여전히
사람들의 조롱에 흔들린다!

이곳에 군신 마르스의 무기를 보관하고 있다.
이 무기들이 저절로 떨기 시작하면 매우 심각한
흉조라고 한다. 조만간 역모가 벌어질지도
모른다! 이 건물 안에 천문 자료와 거물들의
연감이 보관되어 있다.

3. 베누스와 로마
신전의 입면도

4. 하드리아누스

5. 베누스와
로마 신전

6. 로마
여신(카피톨리누스
성역)

우리는 '비아 노바' 거리에서 난생처음 보는 과일을 샀다. 오렌지라는 과일
이다. 혀를 짜릿하게 하는 맛인데 즙을 마시니 목구멍이 다 뚫리듯 어찌나
시원한지! 이 거리의 상점들은 이렇게 귀한 과일만 취급한다. 다음번에 기
필코 금빛 껍질이 부드러운 자몽을 먹어봐야지!

그러나 과일들을 더 들여다볼 틈도 없이 우리는 콘스탄
티누스 대회당의 어마어마한 정면을 보러 서둘렀다. 이름
과 다르게 실제로는 막센티우스가 높이 개축했지만, 로마에
서 가장 큰 신전이라고 할만하다. 원래는 하드리아누스 황제
때 베누스와 로마에 바쳐졌다. 하드리아누스 황제가 직접 설
계했다. 위대한 건축가 아폴로도루스 다마스케누스(Apollodorus
Damascenus)는 이렇게 비판했다. "입상들을 이렇게 많이 세우다가
는 바닥에 처박히지 않겠습니까?"

다마스케누스는 이런 항의 때문에 죽음을 면치 못했다. 어쨌든
황제가 항상 옳아야 하니까!

1. 파비우스
개선문과
여제관 공관
쪽에서 바라본
포룸. 인물들은
저자가 상상으로
그려 넣었다.

2. 콘스탄티누스

로마에서 가장 높고 거대한 대회당은 비할 데 없이 장엄하게 보는
이를 압도한다. 군주의 거상 밑에서 다른 관리들도 열심히 일하며 모든
것을 바쳤다.

너무 놀라워 어지러울 지경이다. 나는 눈을 감고 이상한 예감에 아무
말도 하지 못했다. 콘스탄티누스는 로마를 옛 신앙으로 되돌리지 않고 있
다. 혹시 그의 눈은 헬레스폰투스(Hellespontus)와 비잔티움(Byzantium)연
안을 응시하고 있지 않을까… 콘스탄티누스 대회당은 고대의 수도 로
마에 마지막으로 지은 가장 거대한 건물로 남지 않을까.

그러나 비아 사크라에 묵묵히 우뚝 서 있는 티투스 개선문에 마음이
놓인다. 이 개선문이야말로 영원을 약속하고 어떤 지진도 견뎌낼 듯
하다.

제국 포룸

베티우스 루피누스의 아들인 카이우스는 수도교 행정관이다.
[오늘날의 수자원공사 고위직에 해당한다] 카이우스는 여러 민간 기술자들과 수력기사, 공병대를 지휘했다.

어느 날, 그는 시내 공동우물로 들어오는 '클라우디아' 수로의 유량이 장부에 기록된 내역과 맞지 않음을 확인했다. 카이우스는 현장으로 달려가지 않고, 200여년 전 프론티누스(Frontinus)가 지은 물에 관한 논문을 참고하려고 했다. 그 논문의 필사본이 울피아 도서관에 아직 남아 있었다. 그 틈에 나는 제국의 포룸들이 한데 모인 유명한 '제국 포룸'을 찾아 나섰다.

오래된 포룸은 너무 좁아졌다. 로마 사람들이 열광하는 수많은 재판을 어디에서 치러야 할지 모를 만했다. 사람들의 청원에 따라 카이사르가 처음으로 새로운 포룸 건설에 착수했다. 그리스의 위풍당당한 건축양식을 따랐다. 당연히 건물 전체는 카이사르의 영광에 걸맞아야 했다. 독재관 카이사르는 자신이 베누스의 아들 율루스의 자손이자 고대 로마의 왕손이라는 것을 후손이 잊지 않았으면 했다.

카이사르는 '모신(母神) 베누스' 신전을 세워 신성함을 주장하면서, 그 자신도 조금 신

1. 율리우스 카이사르

2. 카이사르
포룸과 모신(母神)
베누스 신전에
남은 3개의 원주

황제들의 로마

1. 아우구스투스

2. 아우구스투스
포룸과 복수의 신
마르스 신전.
주랑에 아이네아스,
알바 롱가(Alba
Longa)의 왕들,
로마의 왕들과
공화정의 대장군들의
입상이 있다.
로마의 모든 역사가
아우구스투스
황제로 귀결된다.

성화하지 않았을까?

건물 공사비로 들어간 돈은 대지구입비를 한 푼도 들이지 않고 순공사비만 6천만 세스테르티우스(sestertius)였다. 또 그전까지 카이사르의 적이었던 소심한 키케로도 사업 중재자로 나섰다.

준공식 날, 온 국민이 광장을 가득 메우고 성소 앞에 서 있는 독재관의 찬란한 기마상에 감탄했다. 카이사르는 자기 애마의 조각상을 만들어 주랑에 세우도록 했다.

카이사르의 명마는 그의 집에서 태어났으며, 발굽이 사람 손가락을 닮았다. 점쟁이들은 이 말의 주인이 세계를 지배하게 되는 길운의 상징이며, 다른 어떤 사람도 태우려 하지 않을 것이라고 떠들었다.

그 밖에도 수많은 입상으로 건물 전체를 장식했다. 리키아[Lycia 터키 남부 연안 왕국]의 4개 도시에서 티베리우스 황제의 거상을 만드는 자금을 대었다. 그의 선행에 보답하겠다는 뜻이었다. 신전 안 클레오파트라의 멋진 옆모습도 감탄을 자아낸다. 카이사르가 그토록 사랑했지만, 로마 사람들은 얼마나 미워했던 여자인가!

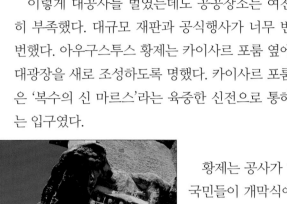

이렇게 대공사를 벌였는데도 공공장소는 여전히 부족했다. 대규모 재판과 공식행사가 너무 빈번했다. 아우구스투스 황제는 카이사르 포룸 옆에 대광장을 새로 조성하도록 명했다. 카이사르 포룸은 '복수의 신 마르스'라는 육중한 신전으로 통하는 입구였다.

황제는 공사가 더디다며 조바심을 내기는 했지만, 국민들이 개막식에 참석했을 때는 황실의 영광에 바친 휘황한 대리석 무대를 보여줄 수 있었다.

개선 광장 한복판에는 장군들에 둘러싸인 군주의 사륜마차가 지금까지도 남아 있다. 주랑 밑에는 로마와 알베의 역대 왕들의 입상이 도열하고 있다. 모두가 아우구스투스를 지존으로 떠받들고 있는 모습이다.

'복수의 신 마르스' 신전은 카이사르의 죽음을 추모해 세웠다. 신상이 들어선 방 둘레에 카라훔(Carrharum) 전투에서 파르티아 제국(고대 페르시아)에게 빼앗겼다가 나중에 아우구스투스가 되찾은 깃발들이 줄줄이 꽂혀 있다. 나는 조금 들뜬 기분으로 걸작들 사이에 경건하게 보관된 율리우스 카이사르의 검을 한참 동안 들여보았다.

'평화 포룸'으로 가려면 네르바 포룸을 가로질러야 한다. 사실상 화려한 기둥과 벽감으로 장식된 통로일 뿐이지만 영웅상들이 늘어서 있다. 이곳은 옛 포룸과 수부라(Suburra) 서민 구역을 이어준다.

평화의 포룸에는 숲이 우거졌다.

정말 이름 하나는 제대로 지었다. 방금 전까지 시끄럽고 혼잡한 광장들을 거쳐 왔는데, 이제 시원한 광장이다, 거의 시골에 온 듯 조용하다. 베스파니우스 황제의 결단으로 조성했으니, 신들이 얼마나 그를 총애했을까! 정말이지 잠시 쉬어가기 좋다. '황소의 샘'에서 솟아나는 맑은 물로 몸을 적시고 나서, 평화의 신전 그늘에서 곱게 오랜 세월을 지켜온 그리스 조각들에 감탄하면서….

네로 황제는 소아시아에서 약탈한 조각들로 자기 별궁 '황금전'을 장식했다. 베스파니

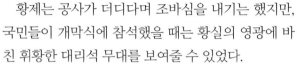

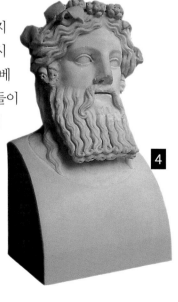

1. 네르바 포룸과 교황 바울 5세가 파괴하기 이전의 미네르바 신전

2~3. 네르바 포룸, 회랑 벽감에 신격화한 황제상들을 모셨다. 아우구스투스부터 알렉산데르 세베루스 황제까지 금장한 청동입상 또는 기마상들이다.

4. 이 사티로스 흉상은 네르바 포룸 인근에서 발견되었다.

아누스는 조각들을 대중이 보고 즐기도록 공개했다. 사람들은 그리스의 거장들 페이디아스, 폴리클레이토스, 레오카레스의 작품과 또 미론의 황소상을 다른 곳에서처럼 우둔한 사람들에 떠밀리지 않고 차분히 감상했다.

이곳에 시의 행정당국도 자리잡았다. 공문서보관소가 가장 큰 방이다. 공무원 10여 명이 조용히 시의 경영 업무를 보고 있었다.

대리석판 151쪽으로 마감된 한쪽 벽에는 235㎡에 달하는 엄청난 크기로 아찔할만큼 정확하게 그려진 로마의 지적도가 붙어 있다. 셉티미우스 세베루스가 지도 제작을 명했다. 시내 구석구석을 눈으로 더듬다 보니, 떠나기 전에 모두 구경하기는 글렀구나 하는 생각에 한숨이 절로 나왔다.

우리가 가려고 하는 트라야누스(Trajanus) 포룸이 모든 포룸들 가운데 가장 훌륭하다. 가장 크고, 화려하고, 놀랍다. 넓은 한마당의 광채는 제국의 먼 국경까지 밝히지 않는가. 이런 최고의 감탄사로도 부족하다니, 시의 여신들이라도 와서 나를 거들어준다면 오죽 좋으랴!

1. 트라야누스 포룸과 시장. 안토니누스 (Antoninus) 왕조 시대 용장들의 입상이 서 있었다.

2. 트라야누스 황제

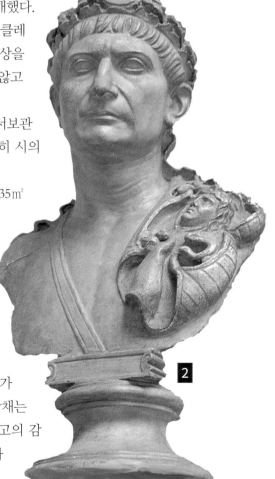

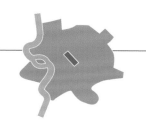

둥근 부조들과 입상들로 풍성하게 치장된 개선문을 지나면 모습을 드러내는 첫 번째 넓은 마당에 트라야누스의 기마상이 확 눈길을 끈다. 기마상을 둘러싼 긴 주랑에 다키아 왕국[Dacia 오늘날의 루마니아 지역]과 전쟁에서 용맹하게 싸웠던 장군들의 청동상이 호위하고 있다. 지붕 밑 칸에는 야만족 포로들을 가둔 울타리가 반암 속에 굳게 박혀있다. 이곳에서 황제는 백성들에게 하사품과 금품 등을 선물로 나누어주곤 한다.

앞마당 깊숙한 곳에는 노란 대리석 계단이 로마 제국에서 가장 거대한 대회당 건물로 이어진다. 울피아 대회당은 트라야누스 가문의 명예를 영원히 간직했다. 루나산 대리석을 깔고 청동 타일을 덮은 훌륭한 중앙홀은 열주로 구분되는 다섯 열을 따라 170m가량 이어진다.

쿼리날리스 언덕 옆구리에 반원형으로 층층이 가게 150채가 자리 잡은 트라야누스 시장이 광장에 수직으로 솟아있다. 아폴로도루스 다마스케누스(Apollodorus Damascenus)가 천재의 솜씨를 발휘한 건축이다. 이곳에서 도소매 거래를 모두 할 수 있다.

트라야누스 장터와
비베라티카 거리의
여러 모습.

1층 점포들은 야채와 과일을 판다. 저장음식도 취급한다. 사실 나는 꿀에 잰 살구를 너무너무 좋아한다. 그래서 배가 나와 걱정이다. 2층에 기름과 포도주가 쌓여 있다. 한 층 더 위에서 운 좋은 사람들은 아라비아와 인도에서 들어온 귀한 향료와 양념을 구한다. 5층은 으리으리하게 채색된 넓은 거래장과 전국에서 올라온 큰 도매상들이 차지한다. 맨 꼭대기 6층으로 올라가보면, 거대한 해수와 담수 저수조에서 해신이 풀어놓은 수많은 물고기들이 짠 내와 비린내를 풍기며 놀고 있다.

대회당의 다른 측면에 30m에 달하는 경이로운 트라야누스 원주가 솟아있다. 황제의 유해가 묻힌 기단 위에 올린 기둥이다. 파로스 대리석에 2,500개의 군상으로 수차례에 걸친 다키아 전쟁의 비장한 설화를 새겼다.

패배한 다키아 사람들은 거대한 금광을 로마에 넘겨주었다. 그곳에서 캐낸 금을 자금으로 트라야누스 황제는 거창한 토목 사업을 벌였다.

원주 양편에 그리스와 라틴 도서관이 각각 서 있다. 공공도서관 운영은 권위 있는 문법학자가 맡는다. 제국 공문서를 총괄하는 상서국의 명예로운 자리를 지키는 인물이다. 친구는 이렇게 한심해 했다.

"가수들이 철학자들을 쫓아내더니, 웅변교수들도 건달들에게 자리를 내주었잖아!"

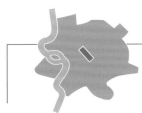

아무튼, 어둠 속에 소중한 책자들이 담겨있는 거대한 참나무 책장 앞은 한하다. 책자를 열람하려는 사람은 거의 없다. 이래서야 미네르바가 심심해하지 않을까. 과거에 도서관을 쥐처럼 파헤치던 극성맞은 사람들은 모두 어디로 갔을까?

일찍이 카토(Cato)는 젊은이들이 아무 걱정 없이 놀기나 한다고 개탄했다. 카토가 옳지 않을까? 그 늙은 잔소리꾼이 그렇게 분개한 때가 벌써 5백 년 전이라니!

1, 3. 트라야누스
기념주와 저부조

2. 과거 모습대로
복원한 서재와
책장

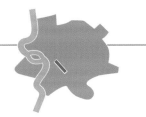

대전차경기장

나팔 소리가 베스파시아누스와 티투스의 개선문 쪽을 향해 울려 퍼진다. '화려한 행렬'이 카피돌리누스 신전에서 하늘의 뜻을 묻고 나서, 도심으로 내려와 대전차경기장으로 들어간다. 역사상 가장 큰 경기장이다. 겹겹이 자리를 채운 25만 5,000명의 관중이 방대하고 길쭉하게 둘러친 객석에서 한꺼번에 일어나 식전행사로 펼치는 근엄한 행렬을 환호하며 맞이한다.

관중이 만세를 열창하는 가운데, 법무관이 금마차를 타고 입장한다. 법무관은 속옷이 번쩍이게 드러나도록 시리아 산 치렁치렁한 백의를 걸쳤다. 손에는 독수리상이 붙은 상아 지팡이를 쥐고 머리에 묵직한 황금월계관을 썼다. 무거운 관이라 노예가 뒤에서 받쳐준다. 법무관은 유피테르와 마찬가지로 경기 조직위원장으로서 모든 포상을 한다. 포상은 법무관의 책무이기도 하다.

남녀 제관들을 거느린 원로위원단 전원이 법무관 뒤를 따른다. 다음에 경주용 이륜마차를 탄 채 4군으로 갈라진 선수단이 엄청난 갈채를 받으며 입장한다. 선수들은 관중을 즐겁게 해주기 위해 목숨을 거는 위험을 감수한다. 그렇게 군주의 비위를 맞춘다. 손바닥에 피가 흥건해도 마차가 넘어지지 않도록 고삐를 놓지 않는다. 허벅지와 장딴지는 각반을 두르고, 머리는 놋쇠투구로 보호한다. 백군과 녹군이 한 편이고, 적군과 청군이 다른 한편이 되어 겨룬다. 말들은 발을 구르며 조급해한다. 말머리에도 진주를 박은 나뭇가지 장식을 씌운다. 목걸이는 소속 마사의 상징색이다. 말들은 번쩍이는 청동 복대를 둘렀다. 100대의 말 4필이 끄는 2륜마차(전차)들이 그 뒤를 따른다. 전차들은 경기단의 상징색으로 치장했다.

1. 파라오 투트모시스 (Thutmosis) 3세의 오벨리스크. 357년, 콘스탄티우스 (Constantius) 2세가 고대 이집트의 중심지 테베, 즉 오늘날의 룩소르에서 가져왔다. 이것을 대원형경기장에 세웠다.

2. 대경기장은 황궁 하부 잔해만 남았다. 길이가 640m에 달하는, 역사상 가장 많은 관중이 들어갈 수 있는 유적이다.

전차들은 4대 1개 조로 경기장에 어둠이 깔릴 때까지, 하루 종일 25차례 경주한다. 이들 모두 열정에 넘치는 청년기마대가 호위한다. 신상들을 태운 가마 앞, 맨 앞줄에서 자동인형이 긴 이빨을 드러내며 관중의 폭소를 끌어낸다. 귀를 째듯 요란한 북과 피리 소리에 맞춰 무용수들과 반인반수로 분장한 광대들의 다채롭고 쾌활한 행렬도 도착한다. 광대와 춤꾼의 음탕한 몸짓에 관중은 배꼽 빠지게 웃는다. 그 다음에 띠를 두른 낙타

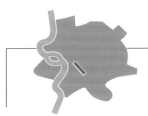

와 코끼리가 등에 귀한 천을 두르고 들어온다. 노예들은 금은이 가득한 항아리들을 들것에 들고 뒤따른다.

1, 2. 4세기 경 로마제국 시대의 전차경주를 진행하는 관리 입상. 손에 든 수건으로 출발신호를 알린다.

　음악이 그치자 침묵이 경기장을 덮었다. 조직위원장과 부하들이 거대한 귀빈석 앞으로 나아가 고개 숙여 인사한다. 콘스탄티누스 황제의 빈 옥좌와 나란히 황후이자 황제의 아들 크리스푸스의 어머니가 앉은 특별석이다.

　마차들이 대리석 마구간으로 들어가고 위쪽 특별석으로 위원장이 여제관들과 함께 자리잡았다. 장내는 잔뜩 긴장하며 분위기가 달아오르기 시작했다. 관중들이 조바심에 수군대면서 미묘한 긴장감마저 돌았다.

　나도 한번 비잔티움에서 마차경주에 참석했던 적이 있다. 그러나 군주와 백성이 하나가 된 이곳의 환상적인 모습에 절대 비할 수 없다. 경기장 뒤로 높이 솟은 궁전들과 경기장 한가운데 등뼈처럼 뻗은 '중앙분리대'까지 모두 환상에 넘치는 배경이다. 마차들은 분리대를 끼고 도는 경주로를 따라 질주한다.

　대리석 중앙단 한가운데에 이집트 헬리오폴리스에서 가져온 첨탑 '오벨리스크'를 세웠다. 그 옆으로 경주를 주관하는 신들의 작은 신당을 각각 세웠다. 분수 속의 청

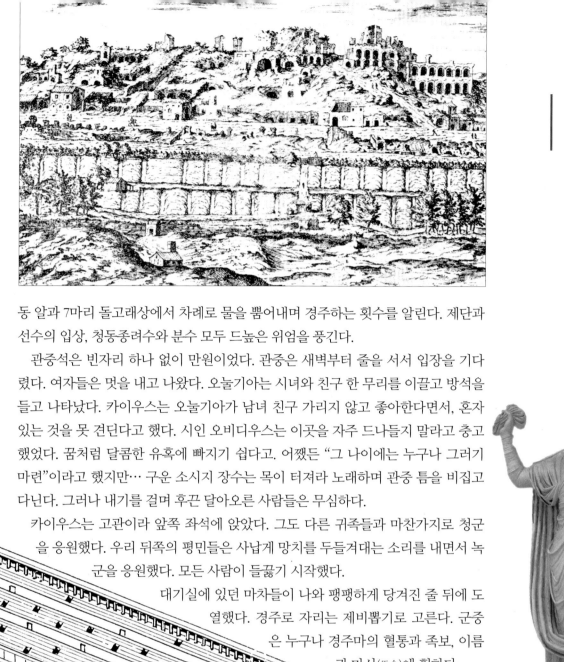

동 알과 7마리 돌고래상에서 차례로 물을 뿜어내며 경주하는 횟수를 알린다. 제단과 선수의 입상, 청동종려수와 분수 모두 드높은 위엄을 풍긴다.

관중석은 빈자리 하나 없이 만원이었다. 관중은 새벽부터 줄을 서서 입장을 기다렸다. 여자들은 멋을 내고 나왔다. 오눌기아는 시녀와 친구 한 무리를 이끌고 방석을 들고 나타났다. 카이우스는 오눌기아가 남녀 친구 가리지 않고 좋아한다면서, 혼자 있는 것을 못 견딘다고 했다. 시인 오비디우스는 이곳을 자주 드나들지 말라고 충고했었다. 꿈처럼 달콤한 유혹에 빠지기 쉽다고. 어쨌든 "그 나이에는 누구나 그러기 마련"이라고 했지만… 구운 소시지 장수는 목이 터져라 노래하며 관중 틈을 비집고 다닌다. 그러나 내기를 걸며 후끈 달아오른 사람들은 무심하다.

카이우스는 고관이라 앞쪽 좌석에 앉았다. 그도 다른 귀족들과 마찬가지로 청군을 응원했다. 우리 뒤쪽의 평민들은 사납게 망치를 두들겨대는 소리를 내면서 녹군을 응원했다. 모든 사람이 들끓기 시작했다.

대기실에 있던 마차들이 나와 팽팽하게 당겨진 줄 뒤에 도열했다. 경주로 자리는 제비뽑기로 고른다. 군중은 누구나 경주마의 혈통과 족보, 이름과 마사(馬舍)에 훤하다.

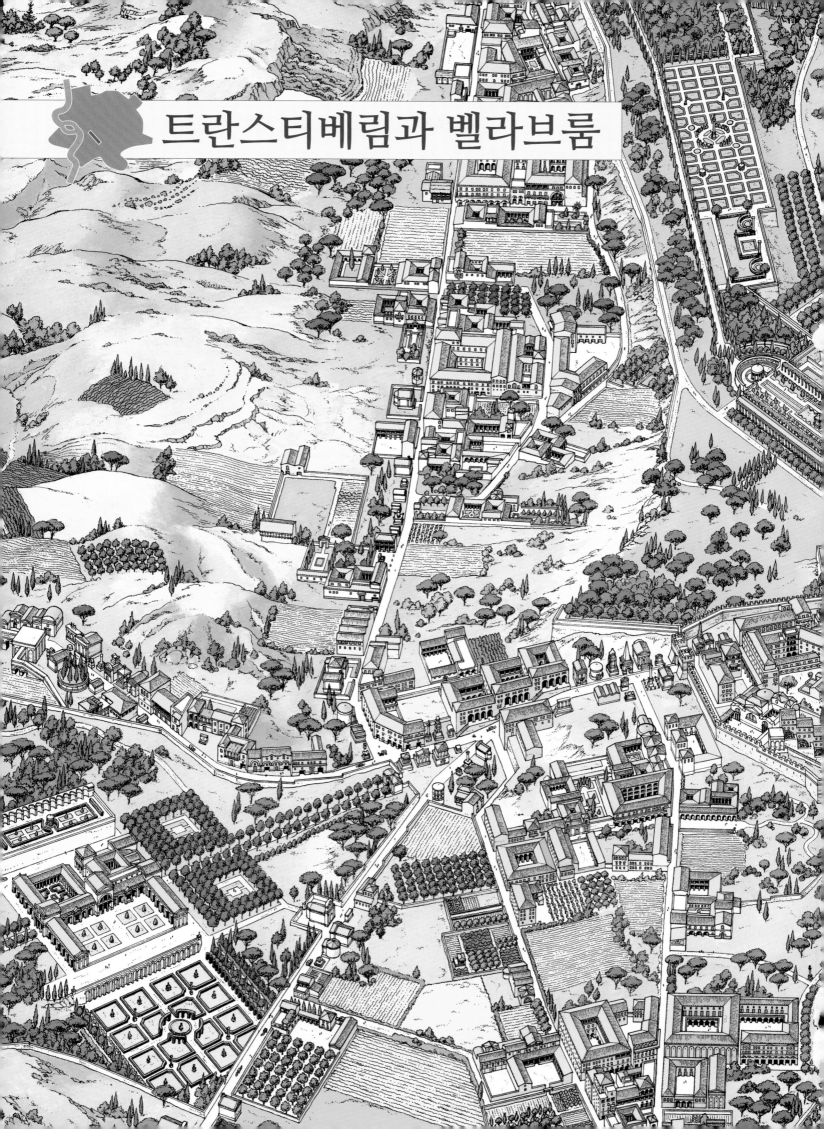

트란스티베림과 벨라브룸

전차도 알아본다. 청군 전차를 응원하는 사람은 녹군 전차를 싫어하는 정도가 아니라 아예 저주를 퍼붓는다. 심지어 경기 전날 밤, 경주 중에 선수의 뼈를 부러지게 해달라고 지옥의 신에게 비는 자들도 있다. 사람들의 목소리가 점점 더 흥분하기 시작했다.

경주자들 가운데 누가 우승할까. 누가 과거의 쟁쟁한 영웅처럼 될까? 스코르푸스, 에파프로디테스, 또는 3,559차례나 우승배를 거머쥔 무스클로수스 같은 인물이 나올까? 사람들은 이들을 추켜세우고 아부하며, 큰 돈벌이를 해준다. 열광적 팬들은 선수의 초상을 자기 집에 걸어두기도 한다! 시인들은 그들의 무용담을 노래한다. 선수들은 비천해도 엄청난 보수를 받는다. 모든 것이 허용되고 묵인된다. 다만 디오클레스 같은 기수는 4,462차례나 우승하면서 3천5백만 세스테르티우스(sestertius)라는 거금을 벌고 은퇴했지만, 다른 많은 선수는 경기장에서 사고로 죽었다. 한창 젊은 나이였다. 선수에게 이런 찬가를 바친 궁정시인이 있다. "고통스러운 승리에 종려가지가 부러지네! 명예가 다 뭔가, 애도나 따를 뿐인데…! 얼마나 비열한 운명인가! 네가 탄 전차가 아찔하게 스쳐 지나는 돌부리는 이제 막 시작하는 네 인생에 왜 그토록 바짝 붙어있어야 할까…."

경기위원장이 일어섰다. 마구간 위 높은 탑에서 나팔이 울리자 사방이 조용해졌다. 그러자 위원장이 흰 수건을 던졌다. 출발신호다.

다섯 바퀴를 도는 동안 −과거에는 일곱 바퀴를 돌았다− 경기장은 뜨겁게 달아올랐다. 25만 5천 명의 목소리가 히스테리를 부리는 광신도의 찬송처럼 창공으로 치솟았다. 전차에 묶인 말들 가운데 가장 왼쪽 말이 경주를 이끈다. 바로 이 말이 '메타'라

1. 아피아 가도의 길가에 서 있는 막센티우스 전차경기장의 탑들. 출발선에 대기하는 전차들을 구획한다. 대전차경기장의 것과 비슷하다.

2. 팔라티누스 언덕에 서 있는 황궁. 그곳에서 대전차경기장이 한눈에 내려다보인다

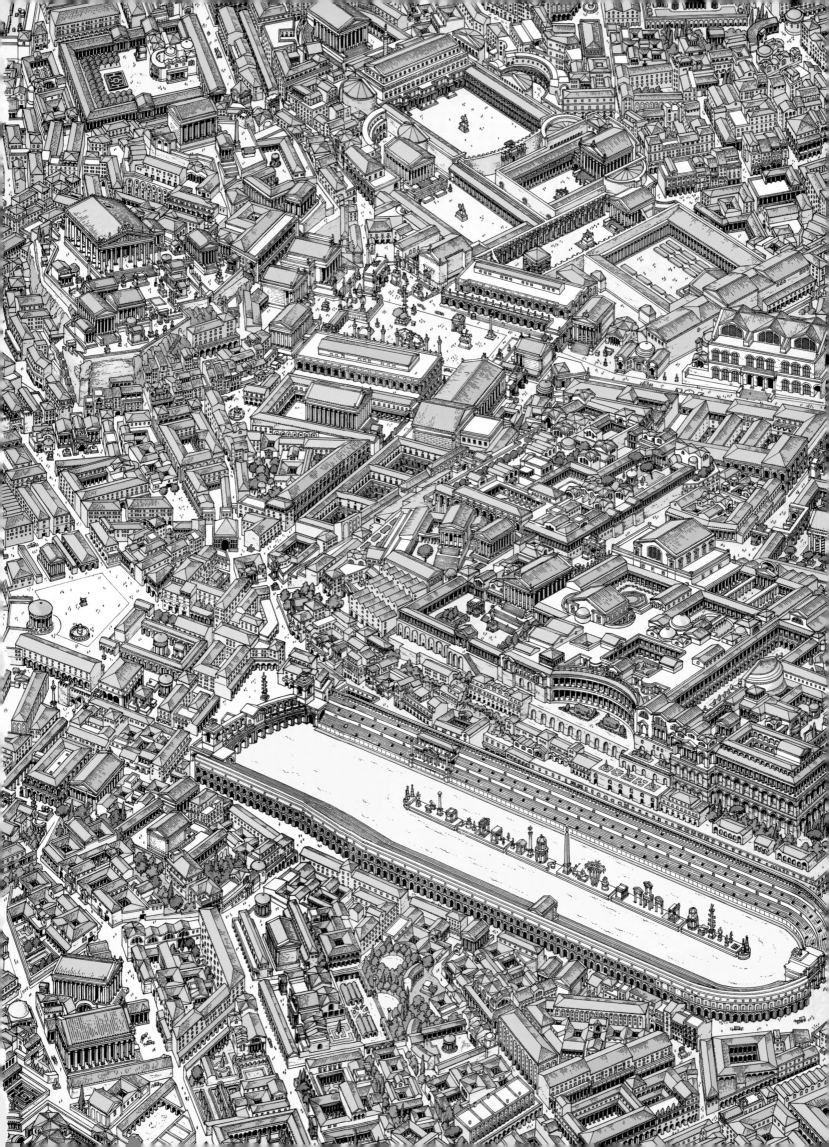

불리는, 반환점을 표시하는 청동 뿔 둘레를 부딪치지 않고 아슬아슬하게 돌아나가야 한다.

경주로 모래밭에 쇠붙이 16개가 박혀 있다. 말발굽이 모래밭을 두드리며 나간다. 모래밭에는 반짝이는 돌가루를 섞었다. 홍군의 전차가 선두로 나섰다. 뒤를 쫓는 전차들은 모래 먼지에 앞을 보기 어려워 속도를 줄일 수밖에 없다. 달걀모양 상징물 직전부터 돌아야 한다. 마지막 바퀴만 한 번 더 돌아오는 전차가 승리를 거머쥘 듯했다. 그러나 녹군의 전차가 아슬아슬하게 앞으로 치고 나오려 하자 관중은 울부짖는다. 경기장에서 우레가 친다고나 할까.

마지막 바퀴에서 홍군 전차의 기수는 위험천만했다. 경쟁자가 바깥 궤도로 돌도록 안쪽을 파고들며, 경계석을 아슬아슬하게 스칠 듯 달렸다. 기수는 고삐를 바짝 끌어당겨 속도를 조절했다. 그러다가 왼쪽 바퀴가 반환점 뿔에 부딪혀 불꽃을 튀기며 터져 버렸다. 전차바퀴는 금세 부러지고 전차와 기수는 기우뚱 균형을 잃었다. 기수는 잽싸게 단도를 꺼내 허리에 감긴 고삐를 잘라버렸지만 경주로로 튕겨 나갔다. 다행히 녹군의 전차가 그를 피해나갔다. 녹군 전차 기수는 관중을 향해 고개를 치켜들고 승리를 향해 질주했다.

귀빈석 위쪽에서 엄청난 갈채가 터졌다. 이런 승리의 주인공은 사실 민중이다. 원로위원들은 좀 더 참고 기다릴 수밖에 없다. 청군과 홍군은 귀족에게 승리를 안겨주려면 아직 스물네 바퀴를 더 돌아야 한다.

경주는 황당한 리듬으로 계속되었다. 관중을 지루하지 않게 하려고 사두전차를 말 두 필이 끄는 이두전차로 바꾸고 전차 10대에 말을 네 마리씩 묶도록 했다. 관중들은 중간 휴식시간에 마술 묘기를 즐겼다. 노련한 사육사는 코끼리에게 줄타기를 시켰다. 그러나 어떤 구경거리가 검투사들의 격투보다 더 인기 있는 전차경주를 대신할까!

허약하고 늙은 선수는 저리는 다리를 주무르며 풀었다. 선수들은 주전부리와 술

황제는 황궁
남쪽에 마련된
거대한 특석에서
전차경주를
지켜보았다. 이런
식으로 자기
궁전 밖으로
나가지 않았다.

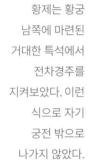

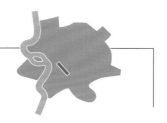

로 목을 축인다. 일찍이 아우구스투스 황제는 경기장에 금주령을 내렸다. 선수가 술 잔을 기울여 한 잔 들이켜려 했을 때, 황제는 이렇게 걱정스레 말했다. "짐은 나중에 집에 가서 마셔야겠어…" 그러자 선수가 답했다. "하오나, 폐하, 이 자리를 뜨셨다 가 자리를 잃기라도 하면 어쩌시겠나이까!"

경주는 청군이 16차례 이겼다. 귀족들은 만족했다. 아무튼, 민중의 분노를 달래려 고 황후 파우스타가 선물을 뿌렸다. 관중석으로 과자와 음료와 갖가지 경품을 비처 럼 뿌렸다. 한 노인은 바닷가 별장에 당첨되었다며 감격했다!

카이우스와 함께 밤이 깊어서야 집에 돌아왔다. 나는 경기장에서 작고 조잡한 입 상에 당첨되어 받아왔다. 이것을 처음 전차경주 구경을 했던 클로에에게 주었다. 기 수 한 명이 경기장에서 사망했다. 반환점 푯말에 걸려 넘어져 치명상을 입었다. 그는 귀족이 편을 드는 청군 소속이었다. 평민들은 환호했다.

콜로세움

엊저녁 검투사 훈련장에서도 플라비움 원형극장[Amphitheatrum Flavium 콜로세움의 옛 이름. 플라비아Flavia 가문의 원형극장이라는 뜻이다]의 다른 세 군데 검투사 막사와 마찬가지로 큰 회식을 했다. 검투사들이 출전하기 전날 저녁마다 마련되는 자리다. 일반인도 누구나 참석해 검투사들의 자질을 평가하면서 누구에게 내기를 걸지 알아본다. 특히 여자들이 몰려든다. 여자들은 자신의 우상을 찾아와 기절한다. 사내들의 멋진 근육을 쓰다듬으려 하고, 거금을 주고 작은 병을 차지하려고 난리를 친다. 검투사들이 목욕탕에서 흘린 땀방울을 받아둔 병이다. 여자들은 땀방울을 둘도 없이 빼어난 최음제로 믿는다.

검투사는 처벌을 받은 죄수, 야만족 전쟁 포로들 가운데 모집한다. 하지만 아무 생각 없이 자원하는 자들도 있다. 오직 여자들의 환심을 사려는 영광에 굶주린 자들이다. 정말 한심한 자들이다. 이런 자들은 시민권을 잃으면서도 그렇게 나선다.

의사들은 검투사들의 식사도 감시한다. 너무 많이 먹어 투사로서 초라한 꼴을 보이면 곤란하기 때문이다. 황제는 검투사 모집과 훈련에 훈련하는 데 거금을 쏟아붓는다. 황제 직속의 검투사들은 경기장에서 살아남은 역전 용사들의 지도를 받으며 말뚝을 세워두고 단련해 자격을 얻는다. 그중 절반은 내일이면 거대한 원형극장에서 처음으로 목숨을 건 모험에 뛰어들게 된다. 피에 굶주린 5만의 관중이 악을 쓰며 환호하는 함정으로 들어간다. 키케로는 이런 열광을 죽음 앞에 의연한, 가장 훌륭한 사례라고 했다!

1. 검투사를
양성하는 가장 큰
훈련장
'루두스 마그누스'

2. 콜로세움,
최장축은 188m.
최단축은 156m.

원래 이 싸움은 사투르누스에게 바치는 인신희생제 대신 시작되었다. 장례식 때 벌이는 행사로 시작했다가 차츰 신성한 성격을 띠었다. 하지만 요즘 누가 이런 데 관심을 둘까? 종교성은 금세 오락으로 변했다. '싸워 이기려는 경쟁심과 명예욕이 죄인과 노예의 심장에서도 똑같이 불탄다는 점을 입증하면서 용기를 부채질하기에 딱좋은 오락'이다. 플리니우스도 그렇게 생각했지만 모든 지성인이 이런 식으로 끔찍한 살육을 정당화하는 위선을 보였다. 위대한 우리 문명에 칙칙하게 얼룩진, 피비린내 나는 오점인데….

죽도록 내몰린 투사들 모두 무슨 생각을 하고 있을까? 옛날 초창기 사람들은 '행운의 여신'의 가호나 빌었다. 하늘의 별 따기와 같은 해방의 상징인 목검을 받아 자유인이 될 때까지 계속 싸웠다. 마침내 해방되어 아르길레툼(Argiletum) 구역 한구석에 선술집을 열고 고향의 술을 마시며, 아가씨들을 품에 안을 꿈을 꾸었다. 그렇게 살아남기만 한다면 오죽 좋을까! 하지만 검투사는 더 강한 자 밑에 쓰러져 살아남지 못하기도 한다. 열광하는 사람들 앞에서 으스대는 허풍쟁이일 뿐이다. 될 대로 되라며 운명에 맡기는 자도 있고, 겁에 질려 아무것도 삼키지 못하는 불쌍한 자도 있다. 이런 자는 이미 땅속에 묻힐 준비가 되었다! 모두들 피 맛에 길들었다.

베티우스 루피누스가 구경을 하러 가자고 했을 때, 클로에는 눈을 뜨지 못했다. 클로에는 기독교도다. 얼마나 많은 클로에의 동포가 야수에게 물려 죽었던가! 신들조차 사람들과 함께 그 잔인한 광경을 즐겼다. 우리 주군은 이제 죄인을 짐승에게 넘기지 말라고 금했다! 우리 주군은 야만행위를 더는 원치 않는다. 또어떤 검투사도 살아남기 어려운 격투기 방식을 폐지했다.

우리는 플라비움 대극장 앞에 일찍 도착했다. 30m 높이의 거대한 '네로 태양신상'(콜로수스 네로니스 Colossus Neronis)이 무심히, 원형극장의 예순여섯 개의 홍예문 앞에 줄지은 수많은 열주를 내려다본다. 태양신상은 네로 황제가 '황금전'을 장식하려고 제노도로스[Zenodoros, 1세기 그리스 조각가]에게 맡겼던 자신의 초상조각이다. 금장 청동 기둥 100개로 떠받쳤다. 그로부터 70년 뒤, 하드리아누스 황제는 어마어마한 거상을 이곳으로 옮기도록 하고 그 자리에는 '베누스와 로마의 신전'을 지었다. 이런 거대한 작업에 코끼리 24마리가 동원되었다. 그 사이, 베스파시아누스 황제는 네로 거상에 휘황찬란한 후광을 얹어 태양신상으로 개조했다. 내 입장권에 여러 숫자가 적혀 있었다. 몇 번문, 몇 층, 몇 열, 어느 자리인지 예약 좌석을 알려주는 숫자다.

여러 방향에서 본 콜로세움. 앞쪽에 보이는 열주는 베누스와 로마 신전의 일부였다.

황제들의 로마

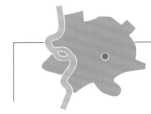

이런 입장권 덕에 관중은 혼잡을 피해 드나들 수 있다.

벌써 날씨가 덥다. 미세눔(Misenum) 해군이 남부지방의 볕을 막아줄 커다란 차일을 펼쳤다. 내 자리 아래 15보쯤 밑으로 둥글게 펼쳐지는 거대한 경기장을 한 번 훑어보았다. 울타리를 둘러 야수가 객석으로 덤벼들지 못하도록 했다. 맨 앞쪽 자리들은 클라리시무스 계급만 이용할 수 있다. 그 뒤로 건물이 깊게 휘어들어간 구석 자리일수록 관객의 계급도 낮아진다. 처음에 일루스트레스 계급에서 시작해 후 밀리오레 계급에서 끝난다.

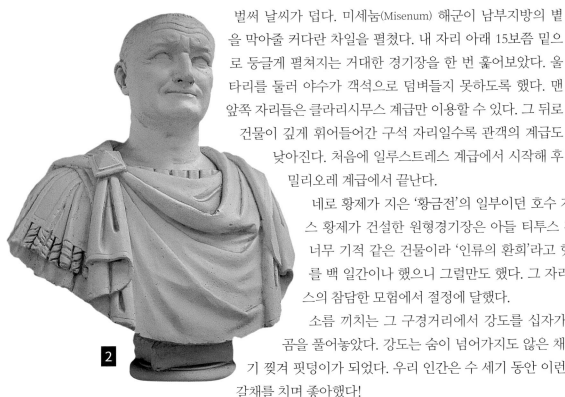

네로 황제가 지은 '황금전'의 일부이던 호수 자리에 베스파시아누스 황제가 건설한 원형경기장은 아들 티투스 황제 때 준공되었다. 너무 기적 같은 건물이라 '인류의 환희'라고 했다. 준공식 때 잔치를 백 일간이나 했으니 그럴만도 했다. 그 자리는 강도 라우레올루스의 참담한 모험에서 절정에 달했다.

소름 끼치는 그 구경거리에서 강도를 십자가에 묶어두고 사나운 곰을 풀어놓았다. 강도는 숨이 넘어가지도 않은 채 모든 사지를 갈기갈기 찢겨 핏덩이가 되었다. 우리 인간은 수 세기 동안 이런 한심한 모습에 박수 갈채를 치며 좋아했다!

경종이 울리더니 드디어 황제와 신하들이 입장했다. 황제가 로마로 돌아온 것이다. 황제의 특별석 앞에서 모든 사람이 환호로 맞이했지만 그는 조용했다. 비록 많은 사람이 기독교도에 관대한 황제의 정치에 동의하지 않더라도, 그가 태평성대를 열었다는 점은 누구든 인정한다. 황제의 특별석 맞은편 자리에서 시장과 고관들이 고개를 숙여 존경을 표했다. 경기가 시작될 참이었다.

기막힌 기계로 움직이는 이국적인 산과 숲의 무대장치 덕에 투기장 마당은 머나먼 아프리카 지방 같아 보였다.

여러 대의 승강기 아래, 컴컴한 지하 우리에 갇힌 야수들이 격렬하게 으르렁대었다. 오전에는 전통에 따라, 야수를 잡는 '베나티오네스(Venationes)'로 시작된다. 짐승들끼리 서로 죽이는 역겨운 사냥이다. 물소와 곰, 코뿔소와 코끼리, 표범과 호랑이가 날뛴다. 사냥 창을 든 자들이 맹견들과 함께 야수들에 맞서는 광경은 더욱 잔인하다.

1. 서기 21년, 콜로세움에 벼락이 떨어졌다. 콜로세움이라는 이름은 그 옆에 서 있던 네로의 '거상'에서 나왔다

2. 베스파시아누스

3. 콘스탄티누스 개선문과 콜로세움.

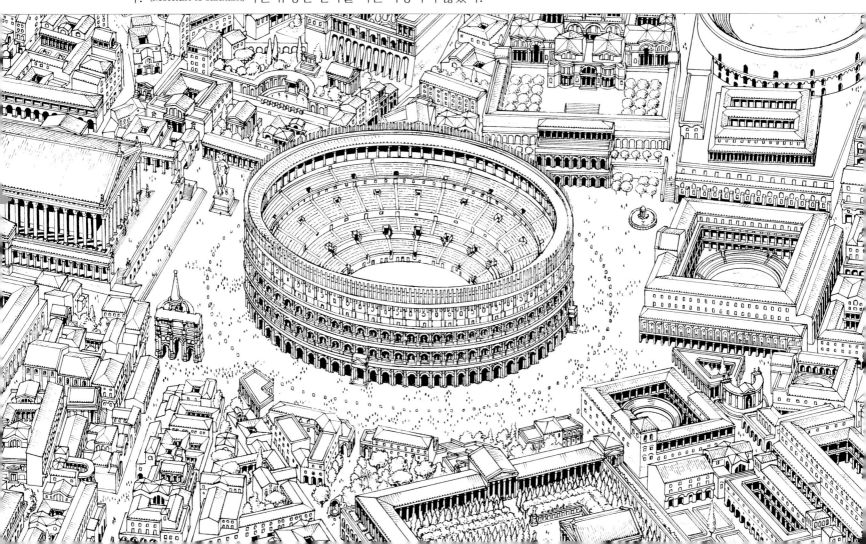

과거, 콤모두스 황제는 특별석에서 활을 당겨 야수를 잡곤 했다. 티투스 황제는 한술 더 떴다. 플라비움 원형극장 개막식 때는 단 하루만에 야수 5천 마리가 죽어 넘어져 모랫바닥을 피로 흥건히 적셨다. 그러니 사자의 발톱에 차이지 않고 야만의 땅 리비아(Libya)를 무사히 건너는 여행자는 얼마나 운이 좋은가. 로마에서 벌이는 잔인한 놀이들 때문에 아프리카의 야수들이 크게 줄었다고 한다.

죽음은 악취를 풍긴다. 역겨운 피비린내를 퍼트리고 향수 냄새를 덮는다. 노예들이 깨끗한 모래를 끼얹고 지겨운 학살을 잠시 잊도록 조련 된 동물을 등장시킨다. 코끼리가 코로 모래밭에 글을 쓰고, 사자는 입을 벌려 살아 있는 산토끼를 토해낸다. 너무 덧없고 유치한 구경거리다.

경애하는 우리 주군의 치세가 되기까지, 이곳은 밝은 대낮마다 포악한 야수에 넘겨진 죄수들의 피로 얼룩졌다. 검투사의 싸움을 금지하는 데 큰 용기를 내야 했으리라.

우레 같은 고대 오르간(orgue hydraulique) 소리를 앞세운 악단은 음악의 여신 에우테르페도 치를 떨 만한 음산한 소리로 시합을 알린다. 검투사들은 모래밭으로 행진해 들어온다. 검투사들은 무기 없이 금수 놓은 자줏빛 망토를 걸쳤다. 관중들은 클라우디우스(Claudius) 황제 시대에 기립해 외치던 "곧 죽을 자들이 당신께 경례합니다!"(Morituri te salutant)라는 유명한 인사를 더는 복창하지 않았다.

검투사 병영에
둘러싸인
콜로세움 구역

이제 무기를 점검하는 차례다. 제비뽑기로 대결할 사람들을 뽑는다. 둔하게 중무장한 검투사에 "여자 아니냐, 난쟁이 아니냐"라며 조롱을 받을 망정 조금 약해도 더 날쌘 투사를 맞세운다. 첫 번째 시합은 칼끝을 가죽 뭉치로 감싼 검으로만 겨룬다. 내기꾼들이 그들의 솜씨를 알아보도록 하려는 시범이다.

그다음부터 본격 시합에 들어간다. 사지가 굳고 심장이 멎을 듯하다. 관중석에서 외쳐대는 평민들의 외침과 짙어지는 죽음의 냄새로 검술의 아름다움을 느낄 틈이 없다. 첫 번째 부상자가 나오자 관중은 열광했다. 삼지창을 든 망투사는 별로 악착스럽지 않았다. 진행을 돕는 심판이 채찍에 피가 튀길 만큼 그를 재촉한다. 후려쳐! 목을 졸라! 잡아버려! 사방에서 죽이라는 비열한 외침이 터졌다. 역겹기 짝이 없었다.

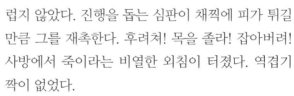

제국 곳곳에서, 그리스부터 이집트까지, 검투사들은 모래밭에서 겨루다가 죽는다. 특히 로마에서 이런 공포를 더욱 고조시켰다. 트라야누스 황제는 좋아서 펄펄 뛰는 평민들 앞에서 1만 명을 동시에 싸우게 했다!

방패를 든 검투사는 잘 버티며 싸웠다. 그러던 그가 고약한 삼지창에 비틀대며 쓰러졌다. 군중은 황제에게 후의를 구했다. 백성들의 어떤 불만도 원치 않았던 콘스탄티누스 황제가 엄지손가락을 들자, 관중이 환호했다.

검투사는 이날 저녁 다시 훈련장 숙소로 살아 돌아갔다. 검투사는 다음 대결 때까지 그렇게 돌아간다. 해마다 100일을 싸워야 한다.

'레티아리'라는 망투사에 맞서 사각 방패를 들고 싸우는 검투사 '세쿠토르'는 불운

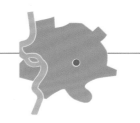

하게 피를 많이 흘렸고, 숨을 헐떡이며 황제의 자비만 기다렸다. 이번에 장내는 증오와 피에 굶주려 악을 썼다. 영원의 도시의 맑은 하늘은 함성으로 뒤덮였다.

피와 땀의 퀴퀴한 냄새가 뒤섞인 열기에 긴장이 고조되었다. 관중의 얼굴은 이상한 충동으로 일그러지고 여자들은 은연중 오금을 저렸다. 관중 모두가 비열한 광분에 휩싸였다.

옛날에, 클라우디우스 황제는 검투사의 죽음이 불러일으키는 완전히 변태 같은 흥분의 순간을 열렬히 즐겼다. 특히 망투사가 죽을 때 그랬다. 얼굴에 덮인 철망 투구가 벗겨지고 죽어가며 떠는 모습을 보이면, 황제는 엄지손가락을 세우지 않고 밑으로 내렸다. 죽이라는 나팔 소리가 울리고, 객석은 찬물을 끼얹은 듯 굳어버린다. 패자는 승자에게 목을 내민다. 구경거리는 이렇듯 최후의 순간까지 비장하다. 키케로는 이런 말을 했다.

"우리는 비굴하게 목숨을 구걸하는 나약한 검투사를 싫어한다."

시합이 끝나면, 승자는 검을 내려놓고 역겨운 갈채를 받는다. 또 금화가 가득한 은쟁반을 받는다.

승리한 검투사는 앞으로 몇 번이나 더 이겨낼까? 적어도 열댓 번 이상 이겨야 간신히 검투사의 운명에서 해방될 것이다. 그러나 콜롬부스는 여든 번을 싸워 이기고 나서도 죽고 말았다. 그러자 삼도천의 뱃사공 카론으로 변장한 노예들이 나타나 그를 갈고리로 찍어 끌어냈다. 그리고 나서 금세 마당을 새 모래로 덮어

1. 안쪽에서 본 콜로세움 유적

2. 경기장으로 통하는 복도

3. 콜로세움은 모의해전장으로도 사용되었다. 그러나 도미티아누스 (Domitianus)황제가 경기장 밑에 복도를 판 이후 중단했다.

깨끗이 정리했다. 잠시 조용했다가 또다시 흉측하게 고함이 터졌다.

"일거리를 지키려면 얼마나 많은 사람을 죽여야 할까."

아피아 길가 묘비에서 읽었던 말이다. 검투사들 대부분은 서른도 되기 전에 최후의 결전을 치른다.

검투사 조직

1~2. 검투사의
실전 장면을
재현한 부조
(국립로마박물관)

3. 콘스탄티누스
개선문.

삼니움 출신은 중무장하고 투구를 쓰고 왼쪽다리에 각반을 차고, 장창으로 중무장한다. 망투사(網鬪士)에 맞서는 세쿠토르(secutor), 방패로 무장한 트라키아 출신 파르마투스(parmatus)와 맞서 싸운다. 미르밀로(mirmillo), 또는 갈루스(gallus)라고도 한다. 고대 프랑스 출신이라는 뜻이다. 큰 방패를 사용하는 '스쿠타투스(scutatus)'의 일원이다. 망투사는 한쪽 팔뚝만 보호대를 둘렀다. 그러나 삼지창과 무시무시한 철망으로 상대방을 잡는다.

파르마투스는 작고 둥근 방패를 든다. 투구를 쓰고 양쪽다리에 각반을 두르고, 휜 단도와 오른팔에 완장을 두른다. 미르밀로는 방어구가 별볼일 없지만 장검을 든다.

검투사들은 말, 또는 전차를 타고 겨루기도 한다.

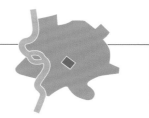

팔라티누스 언덕

잠이 오지 않았다. 신물나게 본 피가 눈앞에 계속 얼씬거렸다. 콜로세움의 살육을 냉소하며 바라보면서 그토록 고상하게 생각하는 엘리트로서, 빵과 오락에나 권력을 휘두르는 무능한 군주들과 우리 사회 전체와 나 자신 모두 부끄럽다. 나는 곁에서 편히 자는 클로에를 바라볼 엄두가 나지 않았다.

포룸 위쪽의
칼리굴라 궁 유적

어쨌든 오늘 궁전의 관리가 출석 통지를 들고 찾아왔다. 콘스탄티누스 황제께서 트라키아(Thracia) 부왕의 편지를 읽고 오늘 아침 궁전에서 나를 접견하겠다고 하셨다. 세계의 황제께서 나를 만나주시겠다고! 나는 들뜬 심정으로 속을 태우며 빈틈없이 준비하고 눈을 붙이려 애썼다.

팔라티누스 언덕은 포룸과 전차경기장 위에 솟아 마치 요새같다. 흰 대리석 정면에서 반사되는 광채에 싸인 궁전들은 푸른 하늘로 거대한 아케이드와 나란히 이어진다. 이런 모습에 감명받은 시인 스타티우스(Statius)는 "마치 로마의 일곱 언덕이 이 한 곳을 높이 떠받치는 듯하구나"라고 노래했다. 옛날에 팔라티누스 언덕은 황제가 지역 전체를 거처로 삼아 '팔라티움'이라고 했다.

애당초 얼마나 초라하게 시작했던 곳인가. 그때 비하면 얼마나 달라졌나. 천 년 넘게 목동들이 소박한 오두막에서 살았던 곳인데. 목동들은 가축의 수호여신 팔레스(Pales)를 숭배했다. 4월 스무하룻날, 목동들은 양 떼를 여신에게 바치는 축제를 벌였다.

여신에게 마음을 사려고, 목동들은 장작을 삼각형으로 쌓아 불을 지르고 그 위를 뛰어넘었다. 건국 시조 로물루스도 그런 목동이었다. 하지만 그는 자

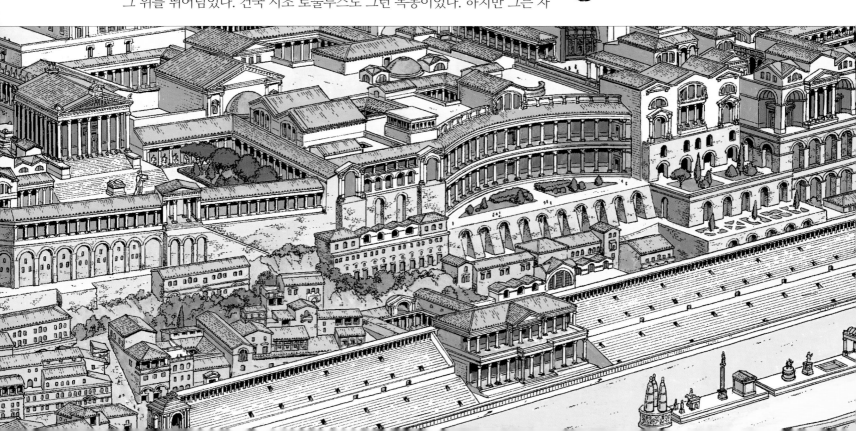

신이 왕자인 줄 몰랐다. 그는 축제의 날을 로마의 창건일로 잡았다. 그러면서 이 언덕을 여신의 이름을 따서 팔레스의 땅이니 '팔라티누스'로 부르자고 했다.

나는 베티우스, 카이우스와 함께 언덕바지에 있는 로마의 요람, 케르말루스(Cermalus)까지 옛 카쿠스 계단을 힘을 내어 걸어 올랐다. 케르말루스는 원래 불카누스의 아들에게 붙여진 이름이다. 거인 카쿠스가 이 지역에서 강도질을 일삼던 소굴이라 지명으로 굳어졌다. 카쿠스는 팔라티누스 벼랑 속 깊은 동굴에 노략질한 물건들을 감춰두었다. 동굴은 루페르칼이라는 유명한 늑대 굴이다. 어느 날, 카쿠스는 헤르쿨레스의 암소를 훔쳤고 이에 헤르쿨레스가 격분했다. 카쿠스는 불꽃을 던지며 저항했지만 바로 우리가 도착한 자리에서 헤르쿨레스에게 패했다. 로마 사람들은 지옥의 입구라며 카쿠스 동굴에 항상 경배한다. 로물루스와 레무스 형제가 암늑대의 젖을 먹고 자랐던 무화과 그늘 밑이다.

먼 옛날부터, 목동들은 무서운 암늑대에게 제사를 드리며 풍요를 기원했다. 매년 2월 15일, '루페르칼리아(Lupercalia)' 제일(祭日)에, 알몸에 늑대 가죽만 두른 제관들이 팔라티누스 부근에서 많은 사람이 지켜보는 가운데 늑대 울음을 내지르며 돌아다닌다. 미친 듯 춤을 추고 불임녀들을 춤판으로 끌고 다니면서 염소 가죽을 꼬아 만든 채찍으로 때리며 회임을 염원한다.

이 매혹스러운 케르말누스 한구석에 그림 같은 성례를 올리는 오래된 작은 성소들이 있다.

성소들 가운데 비리플라카 신전은 남자의 화를 달래주는 여신의 신전이다. 부부싸움을 하던 사람들은 입던 속옷을 그 제단에 늘어놓는다. 성소에서 하소연하면 그들의 기분도 마술에 걸린 듯 풀어진다. 그렇게 툴툴 털고 가벼운 마음으로 돌아간다.

볼루피아 성소에 예정보다 2시간 일찍 도착해 시간이 넉넉했다. 성소 깊숙이 들어가
자마자 이상한 여인상부터 눈에 들었다. 붕대로 입을 틀어막고 있는 모습이다. 안게로니
아 우상인데 절대로 발설해서는 안 되는, 로마에서 가장 오래된 비밀을 간직한 이름
['로마'라는 신성한 이름을 지키는, 적에게 들리지 않도록 했던 수 /호신. 안게로니아에서 사실상 로마라는 이름이 나왔다고도 한다]이라고 베티우스가 나직하게 설명했다. 호민
관 소라누스는 우상의 붕대를 떼어내는 불경한 짓을 저질렀다가 십자가에 매달려
죽는 벌을 받았다고 한다. 그 이름이 무슨 뜻인지 누구를 가리키는지 정말 아
무도 모른다. '발렌티아' 아닐까 지레짐작하는 사람도 있다. 즉 "로마가 권력을
잡을 운명을 가리킨다"고. 아니면 로마를 뒤집을 '아모르'(사랑)라고도 한다.

이런 곳과 비슷한 스물일곱의 작은 성소 가운데 아르게이 신당에 매우 흥미로
운 작은 버드나무 목각상이 있다. 3월 16일과 17일마다 밖으로 모셔 시내로 행진하
는 상이다. 5월 15일에 여제관들이 작은 인형 같은 목각상들을 엄숙하게 티베리스 강
에 던져 로마의 악령과 불운을 예방하는 행사를 치른다.

그런데 까마득한 옛날, 로물루스와 레무스를 주워다 키운 목동 파우스툴루스의 오두막
에 도착하니 말도 못하게 가슴이 뛰었다. 여러 차례 화재로 타버렸지만 경건하게 복원한
오두막에 로마의 건국전설이 영원히 살아 있었다. 바로 몇 발짝 떨어진 문두스 샘 앞에서도
감격할 수밖에 없었다. 살아 있는 사람들의 세계와 죽은 사람들의 세계는 문두
스 지옥문으로 통한다. 해마다 문두스 샘에 동물의 피를 쏟아붓는다. 죽은 자
들은 갈증에 허덕일 테니 그들에게 생명수 같은 피로 갈증을 덜어
주는 것이다. 제관들은 모든 신을 부르고 나서 고인들을 위로하
는 춤을 추기 시작한다. 제관들은 어두운 세계의 편안함을 햇빛
으로 방해하지 않도록 볕가리개를 둘러치고 조심스레 춤춘다.
춤이 끝나면 뚜껑으로 샘을 덮어둔다. 혼령들은 이렇게 춤 구경
을 한 뒤, 조용히 돌아간다.

신들의 큰어머니, 키벨레의 신전[키벨레는 원래 아나톨리 /아에서 숭배된 대지모신]이 케루말루스를
압도한다. 기원전 206년은 로마력 547년째 되는 해였는데, 이때 운석
덩어리들이 로마에 쏟아졌다. 그러면 신들의 노여움을 어떻게 풀어드
릴 것인가? 여제관들의 어록을 모은 「키벨레 예언서」를 뒤져볼 수밖에
없었다. 그러나 원로원에서는 소아시아 페르가뭄의 왕에게 특사를 보
내, '페시누스(Pessinus)'[오늘날 터키 북서부 시 /브리히사르 Sivrihisar 시]의 검은 돌을 돌려받도록 했다.
살아 있는 키벨레 여신으로 숭배하는 검은 석상이기 때문이
다. [석상을 마테르 이다이아 데움 /Mater Idaea Deum이라고 한다]

로마의 명을 따라야 했던 봉신국의 왕 아탈루스 1세(Attalus I)
는 석상을 내놓을 수밖에 없었다. 특사는 석상을 엄숙하게 티베리스 강변으로 모셔왔다. 그러
나 특사의 배가 높이 쌓인 강바닥 펄에 처박혔다. 아피아 가도를 닦았던 사람의 손녀로서 여제
관이던 퀸타 클라우디아는 최고여신에게 청했다. 쩔쩔매면서 어쩌지 못하던 원로원들 앞에서
배는 기적처럼 다시 떠올랐고 팔라티누스 아래 강기슭에서 기다리던 처녀 여제관 앞까지 무
사히 도착했다. 그때부터 어린 여제관 클라우디아는 모든 뱃사람의 추앙을 받았다. 이렇게 해
서 팔라티누스 언덕 위에 키벨레의 거대한 성소를 세웠다. 환관처럼 거세한 키벨레 제관들의

1. 키벨레 신전과
'구원의 여신
유노' 신전

2. 키타르 연주자
아폴로 Apollo
Citharoedus 상

3. 점복관 차림의
아우구스투스

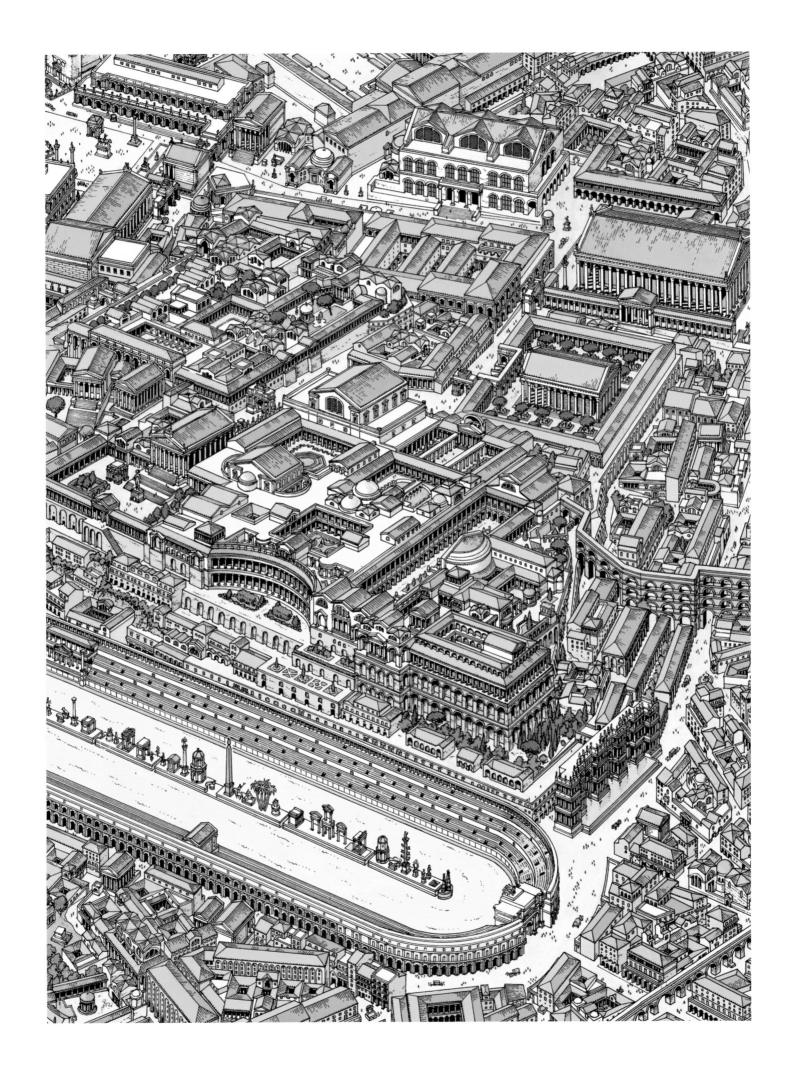

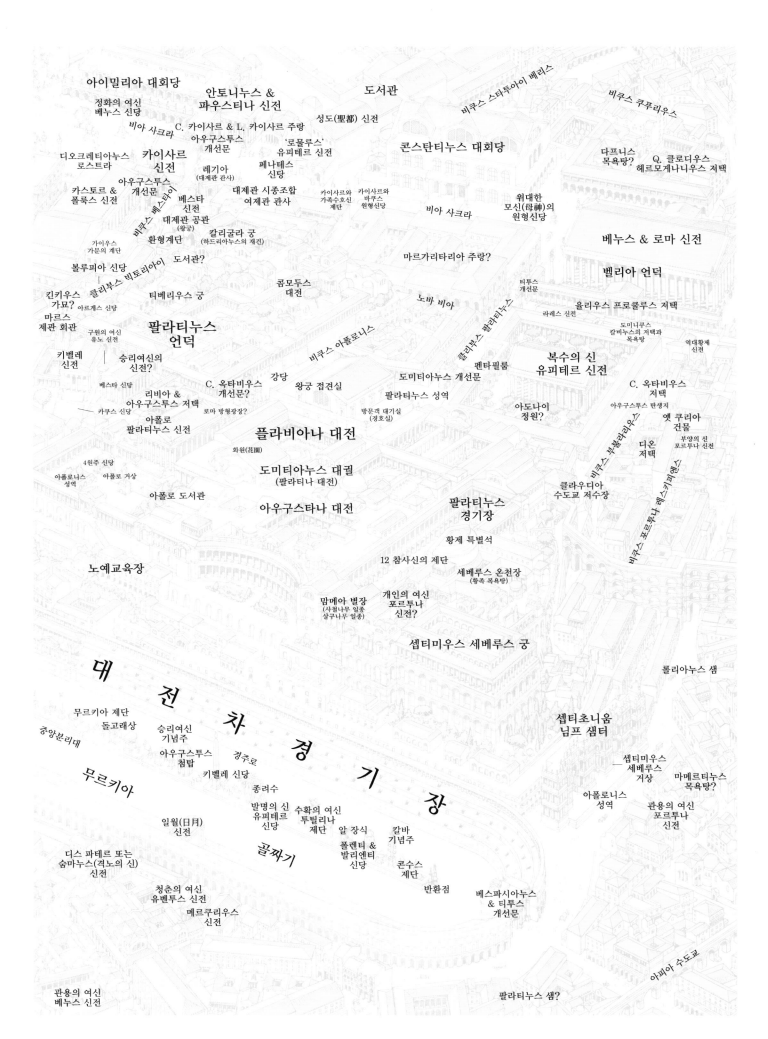

아이밀리아 대회당

정화의 여신
베누스 신당

안토니누스 &
파우스티나 신전

도서관

비쿠스 스타투아이 베리스

비쿠스 쿠푸리우스

비아 사크라

C. 카이사르 & L. 카이사르 주랑

성도(聖都) 신전

디오크레티아누스
로스트라

카이사르
신전

아우구스투스
개선문

'로물루스'
유피테르 신전

콘스탄티누스 대회당

다프니스
목욕탕?

Q. 클로디우스
헤르모게니아누스 저택

레기아
(대제관 관사)

페나테스
신당

카스토르 &
폴룩스 신전

아우구스투스
개선문

베스타
신전

대제관 시종조합
여제관 관사

카이사르와
가족수호신
제단

카이사르와
바쿠스
원형신당

위대한
모신(母神)의
원형신당

베누스 & 로마 신전

비쿠스 베스타이

대제관 공관
(왕궁)

비아 사크라

가이우스
가문의 계단

환형계단

칼리굴라 궁
(하드리아누스의 재건)

마르가리타리아 주랑?

벨리아 언덕

볼루피아 신당

도서관?

티투스
개선문

율리우스 프로쿨루스 저택

라레스 신전

킨키우스
가묘?

클리부스 빅토리아이

아르게스 신당

콤모두스
대전

노바 비아

도미니누스
칼비누스의 저택과
목욕탕

역대황제
신전

마르스
제관 회관

구원의 여신
유노 신전

팔라티누스
언덕

클리부스 팔라티누스

펜타필룸

복수의 신
유피테르 신전

키벨레
신전

승리여신의
신전?

비쿠스 아폴로니스

도미티아누스 개선문

C. 옥타비우스
저택

베스타 신당

C. 옥타비우스
개선문?

강당

왕궁 접견실

팔라티누스 성역

아도나이
정원?

아우구스투스 탄생지

리비아 &
아우구스투스 저택

로마 방형광장?

방문객 대기실
(경호실)

옛 쿠리아
건물

카쿠스 신당

아폴로
팔라티누스 신전

플라비아나 대전

디온
저택

부양의 신
포르투나 신전

화원(花園)

4원주 신당

도미티아누스 대궐
(팔라티나 대전)

클라우디아
수도교 저수장

비쿠스 포르투나 레스키피엔스

아폴로니스
성역

아폴로 거상

아우구스타나 대전

팔라티누스
경기장

아폴로 도서관

황제 특별석

노예교육장

12 참사신의 제단

세베루스 온천장
(황족 목욕탕)

롤리아누스 샘

맘메아 별장
(사철나무 일종
살구나무 일종)

개인의 여신
포르투나
신전?

셉티미우스 세베루스 궁

대
전
차
경
기
장

셉티초니움
님프 샘터

무르키아 제단

돌고래상

승리여신
기념주

중앙분리대

아우구스투스
첨탑

경주로

셉티미우스
세베루스
거상

마메르티누스
목욕탕?

무르키아

키벨레 신당

종려수

아폴로니스
성역

관용의 여신
포르투나 신전

일월(日月)
신전

발명의 신
유피테르
신당

수확의 여신
투틸리나
제단

알 장식

칼바
기념주

디스 파테르 또는
숨마누스(격노의 신)
신전

골짜기

폴렌티 &
발리엔티
신당

콘수스
제단

반환점

베스파시아누스
& 티투스
개선문

청춘의 여신
유벤투스 신전

메르쿠리우스
신전

관용의 여신
베누스 신전

아피아 수도교

팔라티누스 샘?

호위를 받는 키벨레는 과거에 로마에서 처음으로 받아들인 오리엔트 여신이다. 신도들은 신전으로 들어가기 전에 마늘을 먹지 않는다. 키벨레 여신은 마늘 냄새를 싫어한다.

아우구스투스 황제는 로물루스가 로마 건국 때 초석을 놓은 '콰드라타'에 아폴로 신께 신전을 지어 바치겠다고 엄숙히 약속했다.

당시까지 아폴로는 그리스에서 건너온 신이라서 다른 이방의 신들처럼 시외 성소에 모셔왔다. 그러나 아우구스투스 황제는 아폴로를 열렬히 숭배했다. 아폴로야말로 그의 신 아닌가. 아우구스투스는 심지어 어머니 아티아와 아폴로의 사랑으로 자신이 태어났다는 소문까지 퍼트렸다! 누구든 금세 믿어버린 신비한 이야기였다.

전설에서나 볼 법한 아폴로 신전의 규모도 상상을 초월한다. 경이롭다고 할 수밖에 없다! 황제가 아버지께 바친 개선문을 지나, 우리는 노르스름한 대리석 주랑에 둘러싸인 광장으로 들어섰다. 한복판에 키타라를 든 아폴로의 황금빛 거상이 있다. 아폴로는 아우구스투스의 평화를 예찬하면서, 다채로운 새들의 노래를 지휘하는 듯하다. 새들은 협죽도 가지들을 옮겨 다니며 재잘댄다. 덤불 사이로 미론이 조각한 암소들이 숨어 있다. 주랑 밑에는 힘에 넘치는 준마들에 올라탄 아이깁토스 왕 (Aigyptos 그리스 신화의 인물)의 아들 50명이 약혼녀들인 다나오스의 딸 50명을 호위하고 있다. 아이깁토스의 아들들이 말을 몰아 미친 듯 여행을 떠났다가 붙잡아온 처녀들이다. 우아해서 라토나(Latona 아폴로의 어머니)의 아들이 반할 만 하다.

성소는 날렵한 계단 위에 솟아 있다. 성소 위에 '태양의 마차'가 수많은 불꽃을 터트리는 듯 휘황찬란하다. 상아로 만든 문에 부조가 새겨졌다. 니오베(Niobe)의 자식들을 죽이고 델프스(Delphes) 신전을 약탈했던 켈트족을 무찌른, 태양처럼 빛나는 아폴로(포이부스 Phœbus라 부른다)의 승리를 기념했다. 신상 봉안소 깊은 곳에 은은한 빛을

1. 티베리우스 황제상

2. 티베리우스와 칼리굴라 궁전

팔라티누스 언덕

받으며 거장 스코파스가 깎은 신상이 서 있다. 아폴로의 어머니와 사냥의 여신이 곁을 지킨다. 기단 밑에 「키벨레 예언서」가 놓여 있다.

신전 뒤에 붙은 아우구스투스 황제의 거처는 너무 소박해 놀랍다. 벽에 귀한 대리석 하나 쓰지 않고 몇몇 방만 벽화로 장식했다. '작은 시라쿠사이(시칠리아 시라쿠자)'라는 방도 벽화로 꾸몄는데, 황제가 쉬곤 했던 포근한 방이다. 아우구스투스 황제는 허세를 부리지 않고 그저 옛 건물 세 채를 합쳐 시내에서 가장 오래되고 신성한 유물 곁에 정부의 핵심 부서를 들여앉혔다. 그는 이렇게 로물루스의 뒤를 이었다.

이와 달리 아우구스투스 황제의 후계자들은 화려한 건물들을 지었다. 티베리우스(Tiberius) 황제는 사실상 처음으로 본격적인 궁전을 지었다. 새로 지은 그곳에서 피비린내 나는 황가의 암담한 사건들이 벌어졌다. 황제가 굶겨 죽이는 벌을 내린 양자 드루수스 카이사르의 그림자가 얼씬거린다. 드루수스는 텅 빈 방들을 돌아다니며 살아남으려고 침대 매트를 뜯어먹었다.

칼리굴라 황제는 궁전을 포룸 쪽으로 확장했다. 그는 전 세계에서 약탈한 입상들로 복도를 채우고 그 두상들만 잘라내어 자기 일가 사람들의 두상을 얹었다. 이렇게 궁전은 호사스런 사창가처럼 변했다. 황당무계하게 엄청난 유지비가 들어가서 그것을 빚으로 메꿨다.

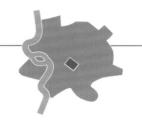

도미티아누스(Domitianus) 황제는 네로의 궁전들을 부수고 건축가 라비리우스에게 다시 짓도록 했다. 이렇게 해서 로마 황제들은 그 뒤로도 정사를 보는 플라비아나 대전(大殿)과 살림을 하는 아우구스타나 대전을 합쳐 궁전으로 삼았다. 함부로 넘볼 수 없도록 조성된 회랑 안쪽에는 도미티아누스 황제의 비밀정원이 숨어있다. 오리엔트의 폭군처럼 수많은 애첩과 즐겁게 지내는 정원이다. 도미티아누스 황제 또한 폭군으로서 자객이 두려워 대리석 벽을 거울처럼 갈아놓고 어느 자리에서든 사방을 지켜보았다. 그러나 이것으로도 부족했을까. 도미티아누스는 궁정 안의 흉계로 칼을 맞고 쓰러졌다.

하드리아누스 황제는 아름다운 사저에 3층 주랑으로 둘러싸인 타원형 경기장을 덧붙였다. 대담한 반구형 외랑을 지어 황제와 초대받은 귀빈들은 식사를 하며 방해받지 않고 경마를 즐겼다.

훗날, 이 건물은 셉티미우스 세베루스 황제 때 네로 수도교에서 들어오는 물을 받아 온천장을

1, 3. 팔라티누스
타원경기장과
특별관람석

2. 도미티아누스
황제상

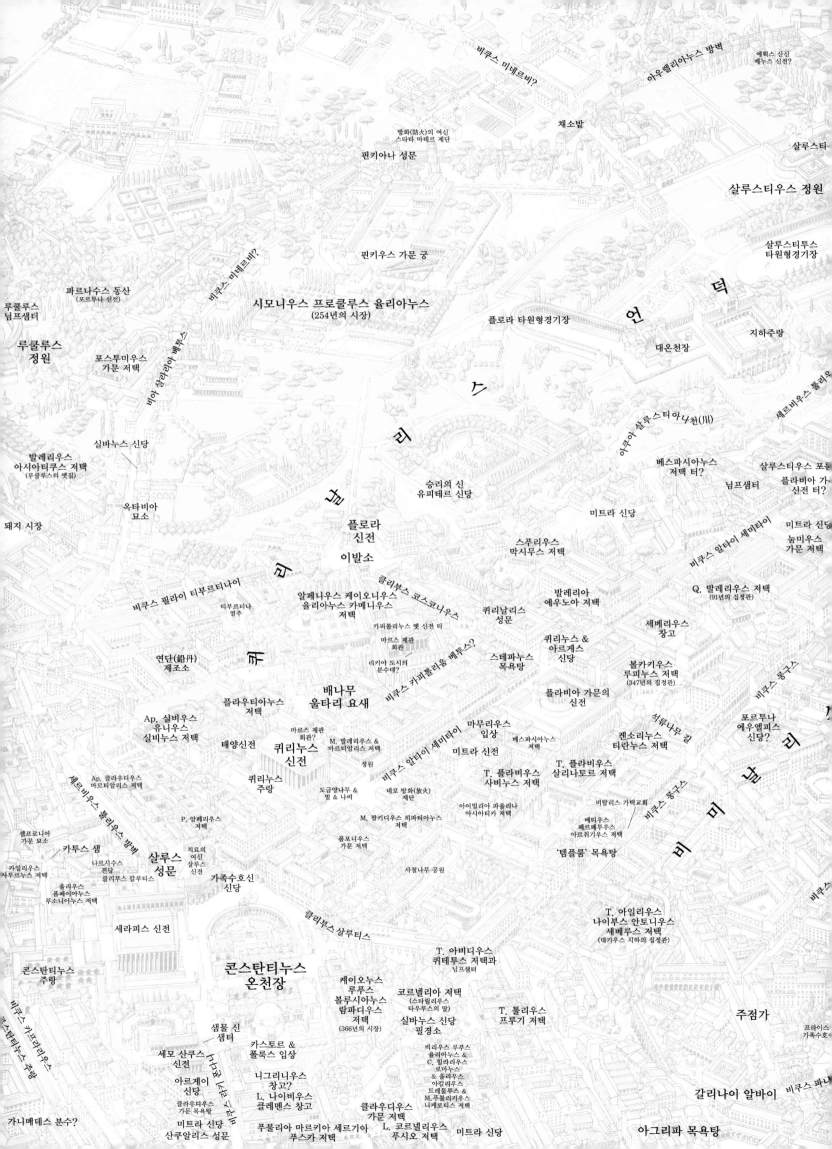

문

회복의 여신
포르투나
제단

군기(軍旗) 신당

마르스
신전

니우스
스
저택

근위대 본영?

프린키팔리스 덱스트라 성문

황제근위대

스트라 성문

무기고?

데쿠마나 성문

닫힌 문

라비리우스
묘소

비아 티부르티나 베투스?

알리에누스 카이키나 저택

하드리아누스
경계표

아우렐리아누스 방벽

마르키아. 율리아 & 테풀라 수도교

XXV 베나티움
회관

섹스투스 에루키우스
클라루스 저택
(146년의 집정관)

섹스투스 율리우스
프론티누스 저택

유니아 가문
저택

우희문

아쿠아 요비아 수도교

라이시우스 유스투스 저택

칼리카누스
저택

칼리카누스
정원

비아 티부르티나

아우구스투스
개선문

티부르티나
성문

비아 콜라티나

타우루스 포룸?

타우루스 가문의 군영(軍營)

라이텍스 타투스, 파비아
울리나 저택

스타틸리우스
타우루스 묘소

비아 티부르티나

페스캔니우스
가문 저택

팔라스 묘소

저수장

스
회

에 스 퀼 리 누 스 언 덕

C. 콘시디우스
갈루스 묘소

팔라스
정원

리키니우스의
해방노예
지하납골당

유피테르
돌리케누스 신당

에스퀼리누스
성역

섹스티아
케테길라 저택
(루피에누스 황제의 딸)

율리아 수도교

팔라스
저택

스
원?

헤르쿨레스
술라누스
신전

유니아 프로쿨라
저택

에파프로디투스
정원

비아 프라이네스티나

황제들의 로마

플라비아나 대전은
공무용, 아우구스타나
대전은 주거용이다

도미티아누스
황궁의 여러 모습.

플라비아나 대전(大殿)과
아우구스타나 대전.

플라비아나 대전은
공무용, 아우구스타나
대전은 주거용이다

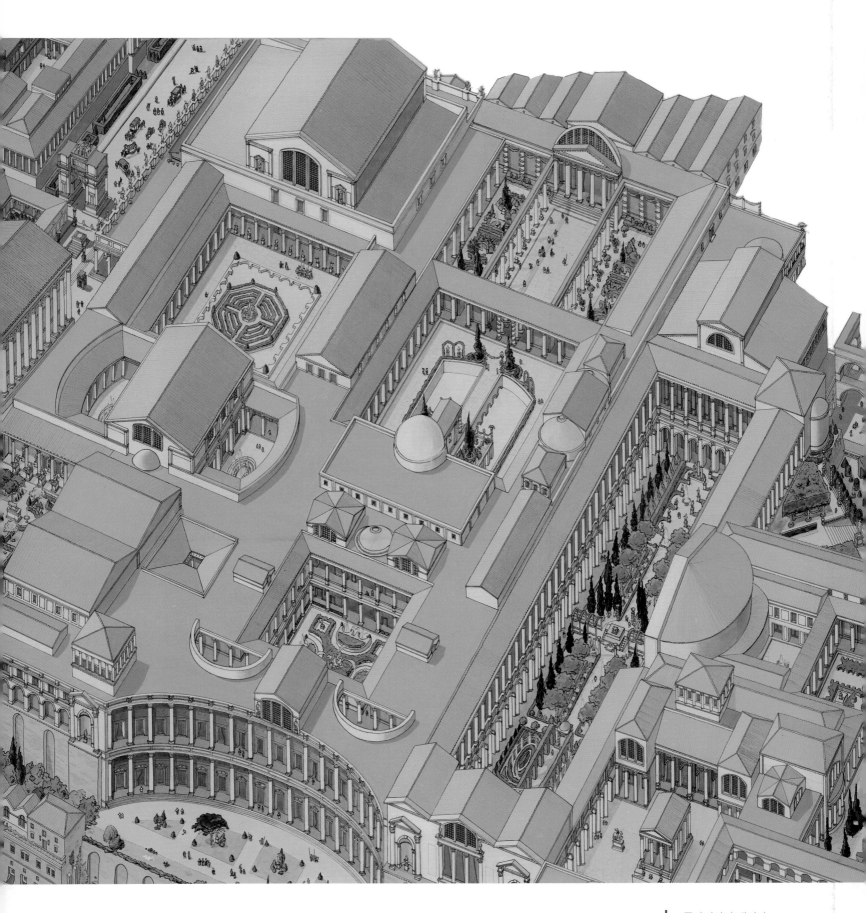

플라비아나 대전과
아우구스타나
대전. 운동장.

지어 정동쪽까지 확장했다. 더 아래쪽으로sms 세베루스 시대의 거대한 건물 토대를 덮으면서 아피아 가도를 마주 보면서 4층짜리 열주로 떠받친 셉티초디움을 세웠다.

건물 주랑 사이에는 분수와 입상들이 늘어섰다. 전능한 셉티미우스 세베루스 황제에게 바쳐져 푸른 하늘과 푸른 물이 뒤섞인 셉티초디움의 공간 덕에 팔라티누스 언덕은 장엄하고 공상에 넘친다.

1. 셉티미우스
세베루스 흉상

2. 에메사의 검은
돌. 저자가 그린
엘라가발루스
신전 상상도

승리를 보장하는 '승자의 신 유피테르' 신전 터는 변덕스러운 엘라가발루스 황제가 처음에 에메사[Emesa 오늘날 시리아의 홈스]의 태양신에 바쳤다가 시리아에서 가져온 신비한 검은 운석에 바치는 신전으로 바뀌었다. 엘라가발루스의 4년에 걸친 폭정 시대에, 로마 민중은 제관들이 황소 수백 마리를 철퇴로 잡는 동안 여장하고 낯선 리듬에 맞춰 춤을 추는 서글픈 구경거리를 바라보아야 했다! 엘라가발루스는 시궁창에 던져져 비참하게 죽었다. 원로원은 운석을 에메사로 돌려보냈고, 신전에서 다시 유피테르를 모셨다.

신전 입구의 계단으로 가는 길에 펜타필룸(Pentapylum)이 있다. 황제의 친위대원 출신 기독교 순교자인 세바스티아누스(Sebastianus)가 디오클레티아누스 황제의 명령으로 화살을 맞고 죽은 장소다. 세바스티아누스의 죄는 기독교인들을 구하려고 한 것 뿐이었다.

나는 카이우스, 베티우스 루피누스와 함께 팔라티누스 성역에 쳐놓은 저지선을 넘어들어갔다. 통제하기 어려운 근위대원들은 이제 일반 병사들로 교체되었다. 우리는 빼어난 줄무늬 대리석 주랑을 지나, 거대한 황제의 방으로 들어섰다. 헤르쿨레스와 바쿠스 거상으로 꾸며진 방이다.

황제는 방 깊숙이 자리잡은 가장 높은 의자에 근엄하게 앉아계셨다. 두 개의 높은 청동촛대가 황제의 지엄한 모습을 비추었다. 황제는 풍성한 자줏빛 망토를 걸치고, 보석 박힌 머리띠를 두르고, 양손에 천구의와 홀장을 쥐고 있었다.

황제 곁에, 곱고 화려하며 긴 망토를 어깨 고리에 걸친 가족과 친지들이 에워싸고 있었다. 황제의 아들 크리스푸스, 이복형제인 달마티우스와 한니발리아누스(Hannibalianus)도 보였다. 근위대장 페트로니우스 안니아누스와 로마 시장도 이 자리에 동석했다. 그 너머 뒤쪽 열린 문틈으로 '유피테르 식당'이라는 거대한 응접실 주랑이 보였다.

폐하께서는 말씀이 없으셨다. 근위대장 페트로니우스가 황제의 말씀을 대신했다. 트라키아 부왕의 보고서는 오리엔트, 즉 동로마 황제 리키니우스의 이중성을 보여주었다. 입으로는 평화를 떠들면

서 사실은 전쟁을 준비하고 있다. 리키니우스는 자신의 동지인 서로마 황제에게 약속까지 해놓고서도, 내전 위험에도 불구하고 기독교도를 박해하려 했다.

콘스탄티누스 황제는 이런 중죄를 방관하지 않으려는 듯하다. 콘스탄티누스 황제는 그 중죄를 구실로 동서로 나뉜 제국 통일에 나서지 않을까.

1. 도미티아누스 황궁의 접견실 겸 대강당. 저자의 상상도

2. 콘스탄티누스 황제의 아들, 콘스탄티우스 2세

3. 셉티미우스 세베루스 황궁의 아래층 구조

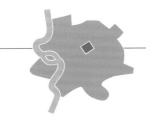

수부라 구역

1. 공동주택 모형
(로마문명박물관)

2. 디핀티
공동주택,
오스티아

콘스탄티누스 황제는 극비리에 동로마 황제를 공격할 준비를 했다. 동로마 황제는 이런 사실을 까맣게 모르겠지만…. 폐하께서는 총독 대리에게 전달할 극비 문서를 내게 맡기셨다. 나는 이 중 바닥이 있는 지갑을 만들어 이 문서를 숨기기로 했다. 수부라 구역의 가죽 공방 거리라면 그런 물건을 만들어 줄 공방이 있지 않을까.

수부라 구역은 허공에 걸린 듯 층층이 올린 건물들부터 그 지하실까지, 수많은 공방과 끊임없는 거래로 혼잡하다. 골목마다 급한 배달꾼, 책을 찾는 귀족, 온갖 한량, 매춘부와 악당이 북적댄다. 이 구석이야말로 시내에서 가장 칙칙하다.

어쨌든 시끌벅적하고 활기가 넘친다. 이곳에서는 로마도 다른 대도시처럼 염치없이 난잡한 면을 드러낸다. 이 구역을 어떻게 아우구스투스 황제가 물려준 도시라고 할 수 있을까? 단 한 번의 식사에 별장 한 채 값을 들이던 회식과 너무 다르다! 우리는 어둡고 어수선한 골목으로 들어갔다. 볕도 들지 않고 조금도 차분하지 않다. 벌레들과 창녀들이 득실거리고, 악취가 진동한다. 천박하게 악을 쓰는 소리와 컴컴한 무법지대인 가게 뒤쪽의 방들에서 할 일 없는 검투사들이 못된 짓거리를 찾아 어슬렁댄다. 포룸 못지않게 수부라도 고동치는 로마의 심장이다.

동네의 전망 좋은 쪽으로 단독주택들이 악착같이 버티려고 하지만, 수많은 공동주택이 비좁기 짝이 없는 골목의 어둡고 구불구불한 골목을 채웠다! 주로 벽돌 건물들이다. 4, 5, 6층까지 올리기도 했는데, 가벼운 자재로 너무 높이 올려 불안하게 기울어진 집들이 많다. 공동주택 상당수는 목재와 벽토로 급조한 누옥이다, 그래서 심심치 않게 화마에 휩싸인다. 너무 화재가 잦아서 높이를 제한하는 법까지 정했다. 아우구스투스 황제 때 20m, 트라야누스 황제 때 그보다 조금 더 낮춰 18m가 되었다. 하지만 법만 만들었지 주민은 계속 불어나고 건물은 더욱 하늘 높은 줄 모르고 올라가기만 한다.

가장 큰 공동주택 입구는 육중한 둥근 기둥들로 받치고 삼각 박공을 올렸다. 그 밑으로 주민들이 물을 길으러 다닌다. 안마당 우물로 통하기 때문이다. 이곳은 아파트 1층으로도 통한다.

1층은 더욱 편안하다. 바닥에 모자이크를 깔았고 솜씨 좋게 벽화로 꾸몄다. 집안에는 상수도가 들어간다, 심지어 수돗물을 받아 쓰는 목욕탕을 갖춘 집도 있다. 몰락 귀족 가문이던 율리우스 카이사르는 어렸을 때 바로 이런 집에서 살았다.

정문 현관 양쪽으로 모두 똑같은 상점들이 붙어있다. 야한 색깔의 포스터들을 잔뜩 붙였고, 문 위의 상인방은 붉은 황토색으로 칠했다. 조각들을 간판처럼 사용해서 주택단지의 단조롭고 무뚝뚝한 분위기도 조금 누그러진다.

점포마다 업종에 걸맞게, 이발소는 가위와 거울을 내걸고 칼 장사는 진열장에 시퍼런 칼날을 세워놓았다. 선술집 주인은 가게 안 홍예벽에 크고 작은 항아리들을 죽 늘어놓았다. 푸줏간에는 벽 사이에 고된 작업을 재현한 대리석 부조를 끼워 넣었다. 광고문구는 그다지 세련되지 못한 라틴어로 적혔다. 아무튼, 광고로 물건의 품질을 자랑하고 검투사의 다음 경기 일자를 알리기도 한다.

1. 창고 입구

2. 공동주택과 저수장, 오스티아. 남아있는 수많은 공동주택은 로마의 서민 동네와 비슷하다.

3. 전차경주 기사들의 공동주택 벽화. 오스티아

상가는 끝도 없이 이어지는데, 한결같이 사치품이나 볼품없는 도기 따위를 내놓고 있다. 주민들은 점포 뒤에 붙어 있는 어두운 방이나 점포 위로 올린 반2층 같은 곳에서 생활한다.

공동주택단지의 층계는 곧장 거리로 통한다. 가파르고 밝지도 않다. 3층에 살던 마르티알리스는 씁쓸하게 불평하곤 했다. 마르티알리스가 지어낸 먹보 상크트라는 저녁 식사에 초대받았다가 챙긴 음식을 자기 집에서 게걸스레 먹으려고 계단을 200칸이나 걸어 올라가곤 했다. 오래 썩은 오줌 냄새가 진동하는 가파른 계단이다.

청소부들은 동네마다 이 빠진 항아리들을 항상 늘어놓는다. 베스파시아누스 황제는 소변을 수거해 산업에 이용한다. 어차피 건물에 화장실이 없어, 주민 누구나 그것을 이용한다. 티투스 황태자는 본능에 따른 신체 배설물에 세금을 붙이냐며 역겹다고 펄쩍 뛰었다. 그러나 베스피아누스는 세금으로 거둔 돈을 아들 코앞에 내밀고 불쾌한 구린내가 나는지 맡아보게 했다. 믿지 못하는 아들에게 황제는 이렇게 말했다.

"명심해! 이놈아. 돈에서 무슨 구린내가 나!"

1. 고대 공동주택의 골격을 간직한 노후 건물

2. 의원 간판

3. 디아나 공동주택과 상점. 오스티아

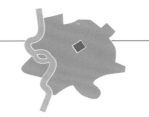

단독주택은 가족의 사생활이 보호되지만, 공동주택은 길이나 복도 쪽으로 단조롭게 이어지는 작은 창문들이 있어 사생활과는 거리가 멀다. 이 창문들은 이웃이 서로 악수할 수 있을 정도로 가깝다. 가장 큰 창문은 흰 돌이나 나무로 만든 긴 발코니로 이어지기도 한다. 이곳에 포도넝쿨을 키우면 넝쿨이 벽돌을 멋지게 타고 오른다. 공동주택들은 집집마다 판자로 된 덧창이나 기름 먹인 양피지를 덧대 비바람이나 소음을 막는다. 겨울에는 화재 위험이 크더라도 화롯불을 지피지 않으면 매우 춥다. 여름에는 거리의 역한 공기가 집안까지 밀려든다. 악취를 없애기 위해 사람들은 집안에서 빵을 굽는다.

방은 좁고 어두운 편이다. 정해진 용도도 없다. 칸막이 판자도 없이 사는 사람들은 집세조차 내지 못해서 세입자에게 다시 세 든 사람들이다. 낮에는 이런 갑갑하고 불편한 곳을 피해 밖으로 나가 온천장이나 원형극장에서 지낸다. 그러나 밤에는 혼잡과 악취를 애써 외면하며 길에서 들려오는 끝없이 지나다니는 마차 바퀴의 굉음을 견뎌야 한다. 깊은 잠은 사치에 가깝다. 게다가 병마까지 일대를 배회한다. 질병은 불결한 곳을 찾아 기를 펴는 유령처럼 퍼져 나간다.

공동주택 맨 꼭대기, 하늘 밑 다락방은 낡은 침대 하나뿐인 화실이다. 화가는 이런 곳에서 그림을 그리며 살아도 개의치 않는다. 뭐 어떻다고! 작은 테라스에 시골 고향에서 가져온 작은 꽃을 심은 화분들이 가득하다. 화가는 날씬한 허리를 그렸다. 순진한 요정처럼 벌거벗은 채 포즈를 취한 프리스킬라는 얼마나 아름다운가! 화가는 건물 아랫층 모퉁이의 식당으로 크레페와 병아리콩 요리를 사러 내려가야 하는 신세지만, 이 「베누

1. 아래층에 붙은
상점이 없는
공동주택, 오스티아

2~3. 디핀티의 주택.
위층으로 올라가는
계단이 붙어 있다.
계단은 원래
세군데가 있었다.

황제들의 로마

공동주택의
유적들. 오스티아

「스의 탄생」이 팔린다면 두 사람 모두 밀비우스 다리의 멋진 선술집에서 장밋빛 포도주에 취할 수 있다. 프리스킬라도 자신의 누드가 부잣집 거실에 걸리는 모습을 상상하며 즐거워했다.

공동주택 건물주들은 인구과밀로 큰 돈을 번다. 집세는 계속 오르기만 한다. 복덕방에서는 건물을 더 높이 올리라고 줄곧 바람을 잡는다. 그래야 투자하는 재미를 볼 테니까. 만약 그러다 건물이 무너지더라도 그들은 땅과 자재를 팔아 큰 이윤을 남긴다! 벽의 두께조차 깎아 먹는 사업가들을 또 뭐라고 할까? 건물 안을 갈라놓는 벽은 너무 얇아서 이웃이 마음만 먹으면 쉽게 구멍을 뚫을 수 있을 지경이다. "이웃 사람은 안심하고 네 이불 속으로 들어가 네 것과 네 아내를 차지한다. 그동안 너는 여자의 본성을 잘 아는 만큼 아내의 미덕을 지켜준다면서 문간 앞에서 밤을 지새우기나 하고!" 내가 플라우투스(Plautus)의 연극에서 손뼉 쳤던 장면이다.

아르길레툼은 과거에 채석장으로 가는 길이었다. 좁은 길인데 활기에 넘치고, 전 세계 사람들이 서로 부딪치며 오간다. 성냥팔이, 구운 소시지를 파는 행상, 손님을 끌려는 바람잡이, 산책 나온 사람들 틈에서 힘겹게 이 길을 빠져나왔다.

아르길레툼 거리에서는 팔꿈치를 잘 놀려 인파를 뿌리치며 나가야 한다. 인부들이 둘러맨 가마가 인파를 거슬러 올라가려 했다. 가마에 앉아 껄떡거

리던 중년 아주머니는 거만하게 손에 쥔 작은 호박을 쥐었다 폈다 하면서 안절부절 못했다. 어쨌든 호박에서 향기가 나지 않는 것은 아니었다. 이런 난리 법석에 나는 머리를 기둥에 부딪쳐가며 거추장스러운 달구지를 피하느라 쩔쩔 맸다. 모두가 악담을 내뱉었다! 그나마 치고받고 하지 않은 것만 해도 얼마나 다행인지, 정신이 나갈 만큼 소란스럽다.

할 일 없는 구경꾼들이 뱀을 부리는 사람을 둘러싸고 있다. 조금 떨어진 곳에서는 긴꼬리원숭이 묘기가 한창이다. 검투사 차림의 긴꼬리원숭이가 사람들의 환호를 받으며 투창을 표적에 던지는 묘기를 보인다. 멀쩡하게 모래를 집어삼키는 대식가 차력사의 모험도 대단하다. 그러나 다시 보고 싶지는 않다.

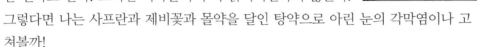

카토(Cato)가 비난했던 기적의 약장수들이나 허풍쟁이들도 있다. 소다, 사프란, 후추를 쥐똥에 섞어 달인 탕약으로 머리털을 빠지지 않게 한다고 떠들어 댄다. 늑대수염을 문에 걸어두면 마누라가 다정해진다고? 사람들은 성욕을 채우지 못한 여자들의 넘치는 힘을 걱정하면서 여자를 욕구불만에 빠트리면 안 된다고 한다. 그러면 여자들이 부쩍 늙어버린다지 않는가. 그렇다면 나는 사프란과 제비꽃과 몰약을 달인 탕약으로 아린 눈의 각막염이나 고쳐볼까!

아르길레툼 거리의 유명한 책방들은 항상 손님들이 많다. 책방 앞 좌판에는 중고 책들을 늘어놓았다. 신간은 진열장에 커다란 광고와 함께 내놓는다. 신간을 먼저 차지하려고 사람들은 안쪽으로 몰린다. 실내에 짙게 밴 양피지와 가죽과 송진 냄새가 풍기지만 아무도 질색하지 않는다. 바로 곁에 가죽 공방들까지 있으니, 이런 냄새가 사라질 일은 없다.

많은 사람으로 후끈 달아오른 분위기를 시인은 놓치지 않고 조금 전 출간된 「슬픈 연가」 한 편을 낭송할 호기로 삼았다. 편집자는 필경사들에게 글을 읽어준다.

요즘에는 점점 더 양피지를 많이 사용한다. 양피지에 기록해서 화려한 가죽과 상아로 장정한다. 이렇게 만든 책이 과거의 파피루스 두루마리 책들보다 더욱 편하다.

1. 디아나 길.
오스티아

2, 3. 어물전. 좌판과
수조가 보인다.

이런 필사본은 수천 권씩 제작된다. 어쨌든 출판사만 이익을 본다. 저자들은 명예나 얻을 뿐이다.

　책자들은 체계적으로 분리되거나 목록집에 분류되어 실내 사방을 채운 선반에 가지런히 놓아 둔다. 책값은 비싸다. 그렇지만 교양과 학식을 갖춘 여유 있는 고객들은 항상 고전과 신간을 산다.

　'비쿠스 산달라리우스' 가죽 공방 거리에는 아폴로 입상 근처에 공방들이 밀집했다. 이 나라 최고의 가죽 공방들과 가죽끈 상가들이 붙어 있는 곳이다. 그런데, 아무리 찾아보고 물어봐도 어느 한 사람, 내가 찾는 가죽 지갑 공방을 아는 사람이 없었다. 수선공은 가죽 공방들이 있는 트란스티베림(Transtiberim) 구로 가보라고 했다.

　어떤 집 문간에 걸린 유난히 검은 천이 눈에 띄었다. 정면을 희게 새로 칠해 더욱 두드러져 보였다. 누군가 죽은 초상집이다. 그 맞은편에 오물더미에서 갓난아기가 기를 쓰며 울고 있었다. 너무 가난한 사람이 행인이 거둬주기를 바라며 밤사이에 아기를 길바닥에 버린 것이다. 세상의 잔인한 축도였다.

　갑자기 누군가 악쓰는 소리가 들렸다. 사방에 돌아다니며 시술하던 치과의사가 밀랍으로 빠진 이빨을 봉했던 모양이다. 그 와중에 아픔을 견디지 못한 환자가 살려달라며 지른 비명이었다. 그러나 금방 가라앉았다. 문인 플리니우스 마요르(Plinius Maior)는 이와 비슷하고 더 불운했던 사람 이야기를 했다. 그 사람은 고통을 못 이겨 창밖으로 뛰어내렸다! 그런데도 의사는 거기서 여전히 성업 중이다.

　'클리부스 수부라누스' 길은 아르길레툼에서 로마의 일곱 언덕 가운데 하나인 에스퀼리누스(Esquilinus) 언덕의 초입까지 이어지는 오르막이다. 길가에 낡고 지저분한 집들이 다닥다닥한 미로 같은 골목들은 이상하게 조용하다.

　막다른 골목 깊숙한 곳은 어떤 곳인지 알 수 없다. 불길한 인상을 보아 하니 함정이 틀림없다. 들어가 보지 않는 편이 좋으리라. 극악무도한 건달들이 달려들 만한 먹잇감을 찾고 있을 테니.

　그런데 그 비탈길 한구석 '페르굴라(Pergula)'라는 작은 테라스 같은 가건물에서 선생 같은 사람이 낡은 벽에 세계전도를 걸고서 강의를 하고 있었다. 철학자 흉상들은 훈계하는 인상이다.

　어린 학생들은 의자에 앉아 무릎에 올려둔 석판에 글을 쓴다. 경솔한 아이는 또 얼마나 가엾던지. 선생은 행인

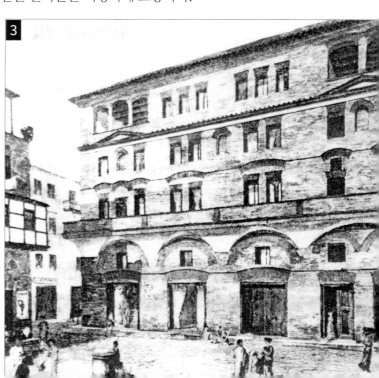

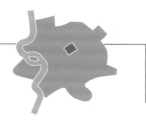

들 앞에서 아이에게 회초리질을 했다. 점심때가 되자 아이들은 가방과 글을 쓰던 밀랍 판을 둘러매고 자리에서 일어난다.

음식점들에 손님들이 들어차기 시작했다. 우리도 속이 출출했다. 동네의 많은 간이 식당이 따끈한 음식과 시원한 음료를 계산대에 차려놓았다. 화덕에 갖가지 튀김과 꼬치구이, 작은 문어를 익히고 있었다. 화덕 아래 칸에 소시지를 굽고, 껍데기 구이도 불길에 고소하게 타고. 그 옆에서는 로마 사람들이 좋아하는 병아리콩을 비롯해 여러 가지 콩과 콩잎을 볶는다. 식당 안에 음식 냄새가 지독하게 퍼진다. 단지 속에는 소금물에 치어와 살집이 두툼한 생선 한 마리를 담가놓았다. 로마에서는 생선을 어마어마하게 소비한다. 그러나 대왕가자미와 곰치는 부자들이나 군침을 흘린다.

이 동네 주민들은 돌로 쌓은 카운터에 몰린다. 그들은 집에서 조리하기보다 즉석 조리한 음식을 사서 집으로 가져가 먹거나, 그냥 친구들과 앉은자리에서 먹는다. 대부분의 요리는 '가룸'이라는 생선내장을 발효한 소스를 둘러 먹는다.

나는 카이우스와 식당 안에 들어가 자리를 잡았다. 그 길에 올리브 몇 알을 슬쩍 집어 입에 넣었더니 지배인이 눈살을 찌푸렸다. 술집 주인으로 일하는 유별난 여자들이다. 별로 평판이 좋지 않다. 그래도 콘스탄티누스 황제는 여자들을 무시하지 말라고 경고했다.

식당 안의 둥근 천장에는 양파와 마늘 꾸러미들이 걸려 있다.

1. 걸인 입상(카피톨리니 박물관 Musei Capitolini)

2. 오스티아의 공동주택

3. 공동주택 가운데 섬세하게 벽돌로 장식한 곳들도 있다.

벽에는 거나한 술판을 그린 소박한 벽화들이 보인다. 찬장에는 온갖 주전자들을 늘어놓았다.

불룩한 항아리마다 대추, 안티오키아(Antiochia, 터키 안타키아)산 자두를 넣은 과실주가 그득하다. 마당에 반쯤 묻은 항아리에는 포도주를 담았다. 명품 팔레르눔(Falernum 이탈리아 반도 남부 캄파냐 지방 특산 포도) 포도주의 가격은 다른 술의 4배다.

뒷방으로 들어가 보니 주사위 놀이꾼들이 웃고 욕하는 소리가 떠들썩하다. 그중 한 명이 베누스판을 싹쓸이하자 사람들은 환호했다. 사내 곁으로 여자들 셋이 끼어들어 돈을 거두었다. 돈을 잃은 거친 게르만 억양의 검투사가 항의했다. 그렇게 싸움이 벌어졌다. 하지만 여주인이 버럭 소리를 지르자 펄펄 뛰던 사람들이 금세 수그러들었다.

여주인은 우리 쪽에 하녀를 보냈다. 가장 어린 처녀인데 방금 피자마자 벌써 시들해진 모습이다. 하녀는 "병사들처럼 식초 섞은 포도주를 드시기야 하겠습니까, 따끈한 포도주를 드시겠지요!"라며 부드러운 목소리로 꼬셨다.

카이우스의 머리 바로 위쪽 벽에는 매춘부들의 화대가 붙어있었다.

해시계가 아홉 시를 가리켰다. 수부라 거리는 보병들과 창녀들이 줄줄이 짝을 지어 다닌다. 각자 취향에 맞는 온갖 여자가 보였다. 젊은 여자들은 도시로 올라온 시골 색시의 순진함을 보이고, 나이 든 여자들은 주름진 얼굴을 겹겹이 두껍게 화장해 지친 모습을 감춘다.

여자들은 그렇게 의자에 거의 벌거벗고 앉아 변두리 사람들의 말투로 빈정대며 호객을 한다. 여자들 뒤에 엷은 커튼으로 딱한 사랑을 나눌 남루한 방을 가려놓았다. 긴 돌의자에 벌레가 득실대는 멍석이 깔렸다. 가구는 이것뿐이다. 이것만으로도 노예는 단 몇 분간만이라도 자유롭게 사랑한다는 환상에 젖는다. 여자는 노예가 쥐여준 몇 푼 안 되는 돈을 함께 사는 늙은 포주에게 건넨다. 포주는 전직 매춘부로, 뚜쟁이 기둥서방에게 죽는 날까지 착취당할 여자다.

이 바닥에서 손님은 극빈층이다. 번듯한 가문의 아들이라면 카토의 조언에 따라 고급 공창을 애용한다. 고급 공창은 국가에서 통제하고 세금을 거두는 사창가인데, 그곳의 창부들은 여러 가지 교육을 받고 문학과 음악도 배운다.

노부부가 가재도구가 실린 수레가 떠나는 것을 서글프

1~2. 오스티아에 남아있는 간이식당. 수부라 지역에 이런 식당 겸 선술집이 즐비했다.

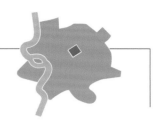

게 바라보면서 움츠린 채 비틀거렸다. 수레에 부엌살림과 탁자와 의자 둘과 그릇들이 실렸다. 노파가 갑자기 노인의 포옹을 뿌리치며 "머리카락 몇 가닥 남지 않은 붉은 머리 노파인데!"라고 외쳤다. 노파는 법무관 앞에 무릎을 꿇고 불쌍하지도 않으냐고 하소연하고 애원했다.

하지만 관리는 냉정하게 자기도 어쩔 수 없다고 했다. 집세가 너무 밀리지 않았느냐고!

그러자 노파는 모든 살림살이를 압류하고 관리에게 고발한 자기네 누옥의 주인 쪽을 향했다. 노파는 한심한 약탈자에게 욕설을 퍼붓고 저주했다. 늙은 서방은 노파의 손을 부드럽게 잡고서 달랜다. 왜 그렇게 음산한 집에서 살아야 할까? 다리 밑 구석에서라도 얼마든지 살 수 있을 텐데….

두 노인은 차츰 깊어지는 어둠 속으로 천천히 빠져들어 갔다.

로마의 하수도

에트루리아 사람들은 많은 늪지를 마른 땅으로 굳혔다. 물을 티베리스 강으로 빼내었다. 벨라브룸, 포룸, 수부라, 카프레아이(Capreae), 마르스 벌판 지역들이 모두 굳은 땅이 되었다. 그 뒤로도 로마 사람들은 이 지역에 궁륭처럼 둥글게 지하 통로를 뚫어 방대한 하수도를 건설했다. 길에서 나오는 폐수는 지하수로를 통해 모두 티베리스 강으로 흘러들었다. 개인주택 하수구는 드물었다.

대저택과 공동주택의 하수구는 공용하수로에 연결되었지만 불법인 경우도 적지 않았다. 빈민가에서는 밤에 몰래 오수와 오물을 창밖으로 버렸다. 그렇게 할 수 없는 경우에는 시내 곳곳에 마련된 오수처리장, 또는 마지막 남은 썩어가는 늪에 버렸다. 가장 큰 간선 하수도였던 '클로아카 막시마'는 쪽배 두 척이 나란히 통행할 만큼 넓었다.

1. 간이식당 내부

2. 지하창고로 통하는 간이식당 안마당

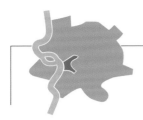

벨라브룸 구

투스쿠스 길과
유가리우스 길
사이에 들어앉은
아우구스티누스
신전과
미네르바 신당

베티우스 루피누스의 아내는 매일 아침 미용사 노릇을 하는 클로에의 솜씨에 넋을 놓는다. 클로에는 주인마님의 곁방에서 마님의 화장과 머리 손질을 거든다. 그 방에는 향유단지와 향수병, 빗과 파마 기구 또 머리핀이 가득하다. 오늘 아침 클로에는 마음이 가벼워 보인다. 모처럼 못 보던 미소를 짓는다. 노예라면 누구나 짓는 알 수 없는 억지 미소가 아니다. 조금 뒤 알게 되었지만, 클로에에게 큰 변화가 생겼다. 자세히 물어볼 시간이 없었는데, 베티우스가 내 팔을 붙잡고 현관으로 이끌었다. 우리는 우선 벨라브룸 구, 비쿠스 투스쿠스 거리의 노예시장으로 갔다. 나는 애타게 찾던 이중바닥 지갑부터 찾아 나섰다.

벨라브룸 구에는 아침마다 엄청난 양의 물건을 거래하는 시장을 낀 로마의 한복판이다. 환전상 아케이드와 야누스 아케이드 부근에서 사업가들과 중개상들이 만난다. 열띤 소란 속에 서로 만나 투자처를 물색하고 엉큼한 작전을 짠다. 투기는 순식간에 이루어진다. 이런 일을 길거리에서 벌인다. 빈둥대면서 경매꾼들의 활약에 박수를 치는 사람들이 넘친다.

투스쿠스 길은 아르길레툼 길에서 자연스레 포룸과 티베리스 강으로 이어진다. 많은 사람이 찾아들어 혼잡스런 길이다. 좁은 도로 양쪽에 즐비하게 늘어선 가게로 지톤(Giton)들이 허리를 흔들어대며 드나든다. 그들은 로마의 높으신 분들이 노예 거래를 하러 나오면, 그 참에 애인들을 구해 오후에 재미를 보곤 한다.

카스토르와 폴룩스 신전 뒤로 노예들이 빙글빙글 돌아가는 단 위에서 고객을 끌어올 중간상의 눈길을 끌려고 애처롭게 기다린다. 노예상인은 노예들, 특히 여자 노예들을 거의 벌거벗겨 둔다. 늙은 영감들의 잠자리를 채워줄 노예들이다. 발에 흰 석고 칠을 한 노예들은 해외에서 들어왔다는 표시다. 모두 작은 게시판을 목에 걸었다. 게시판에 국적과 적성과 장단점이 적혔다.

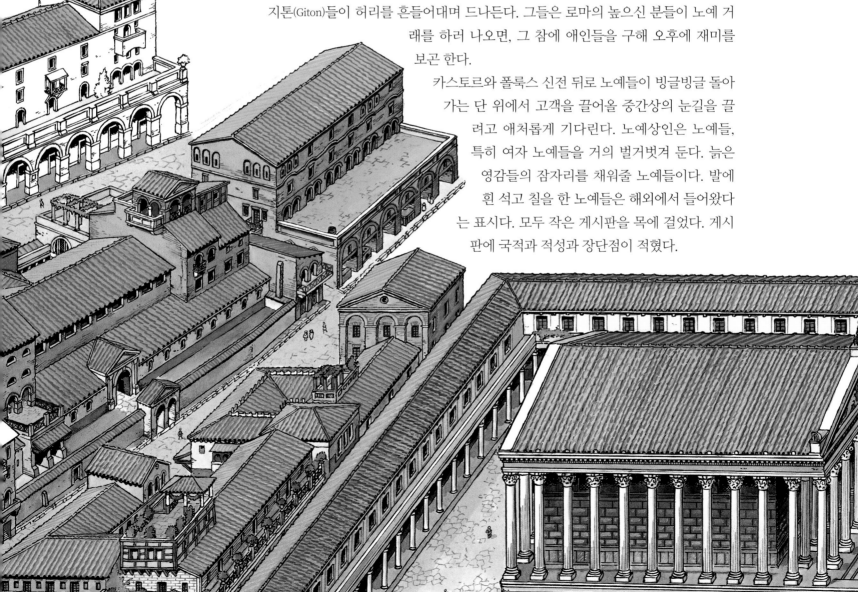

노예들 모두 몸을 감싸 가리려 하거나 무표정한 얼굴이다. 이들은 사고파는 물건이나 도구일 뿐이다. 아니면 내다 버리거나… 인간으로서 권리는 없다. 노예니까.

이렇게 매물로 나온 노예들은 노예 또는 전쟁포로의 자식이거나, 야만족에게서 납치된 아이들, 또는 친아버지가 시장에 내놓은 자식이다. 망하거나 빚에 쪼들려 나온 사람들도 있다. 노예 공급은 부족하지 않다.

운 좋은 노예는 개인의 집으로 팔려가고, 거대한 '라티푼디아(latifundia)' 농장으로 들어가 일한다. 하지만 불운한 노예는 공공기관의 관노가 되거나, 그보다 더 고약하게 광산에서 일하다가 일찍 사망한다.

하지만 정복전쟁이 끝나고 로마인들은 성실한 노예들을 동정하기 시작했다. 노예를 이끌고 봉기한 스파르타쿠스의 시대는 먼 옛날이다. 예컨대, 노예 가족을 떼어놓고 팔거나 재판 없이 죽일 수 없도록 법으로 금한다.

우리 주군이신 황제께서는 노예를 처벌할 때 몸에 수치스러운 붉은 낙인을 찍지 못하도록 금지했다. 게다가 거의 모든 노예는 자유의 기회가 있다. 로마에는 노예보다 해방노예가 더 많다. 해방노예의 자녀들은 로마시민으로 태어난다. 출생하면 시민권을 얻는다.

노예의 몸값은 나이와 가치에 따라 다르지만, 지성이 미모나 적성보다 중시된다. 난쟁이나 기형 또는 완전한 바보는 값이 크게 깎인다. 베티우스는 나이 든 여자보다 12배나 비싼 젊은 노예를 골랐다. 일반적인 가격이다. 나는 무척 놀랐다. 베티우스가 내게 이 귀여운 야만족 노예를 마누라의 미용사로 채용할 것이라고 했기 때문이다! 나는 그제야 클로에의 묘한 웃음을 이해했다.

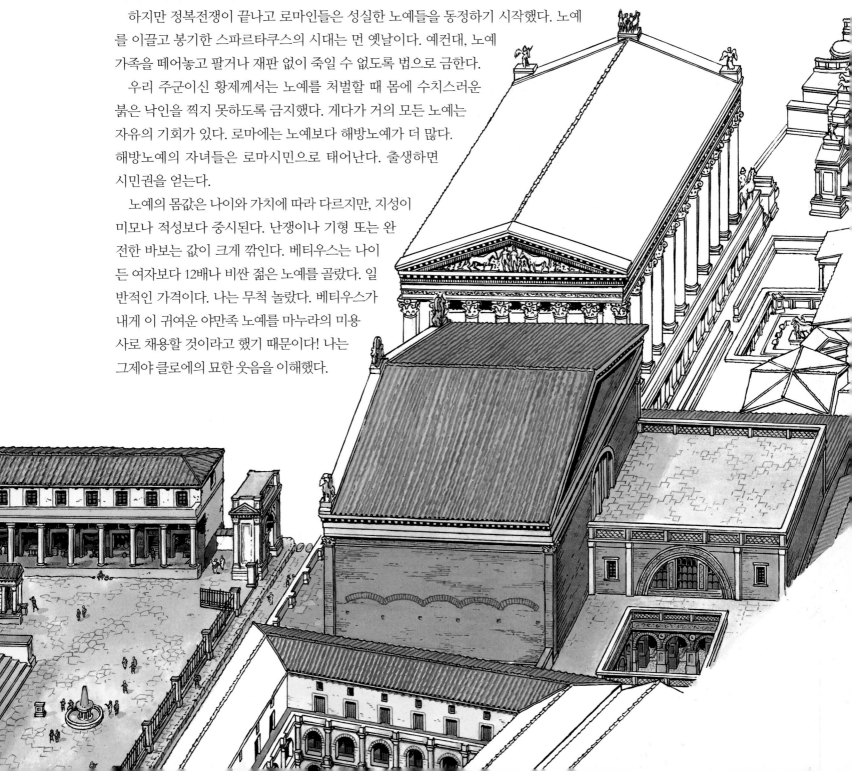

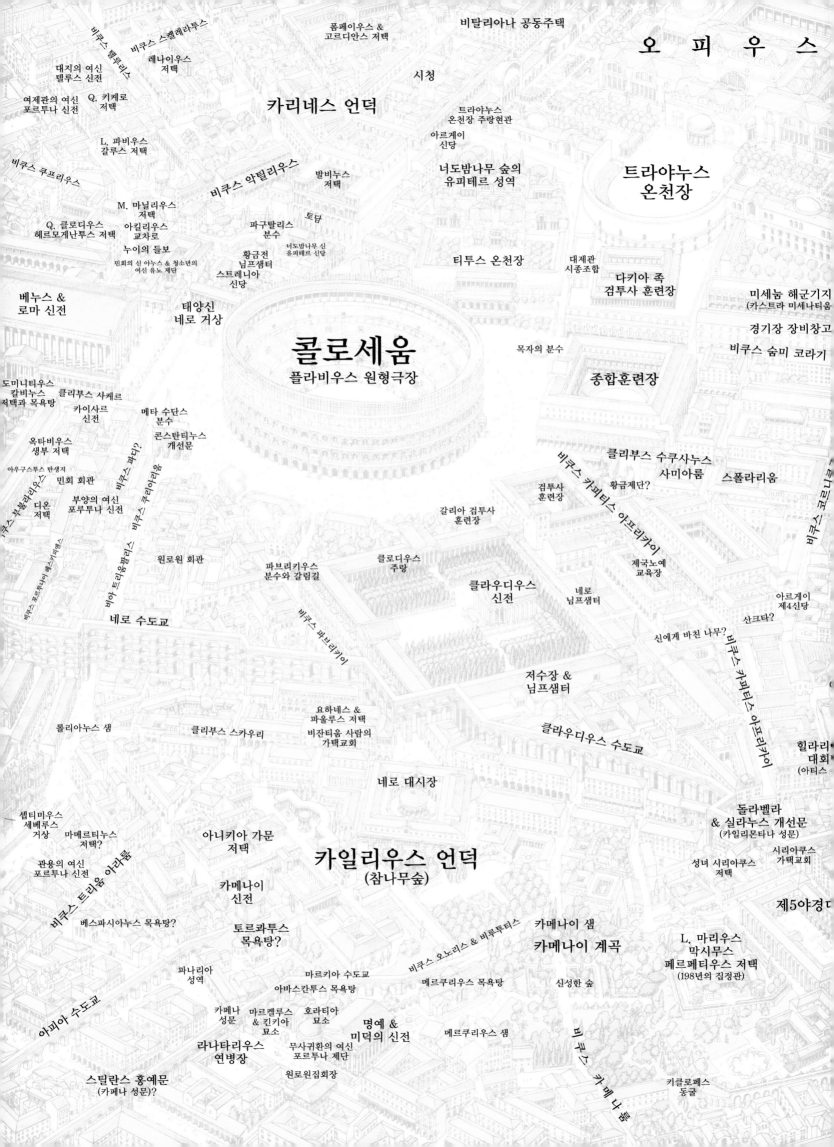

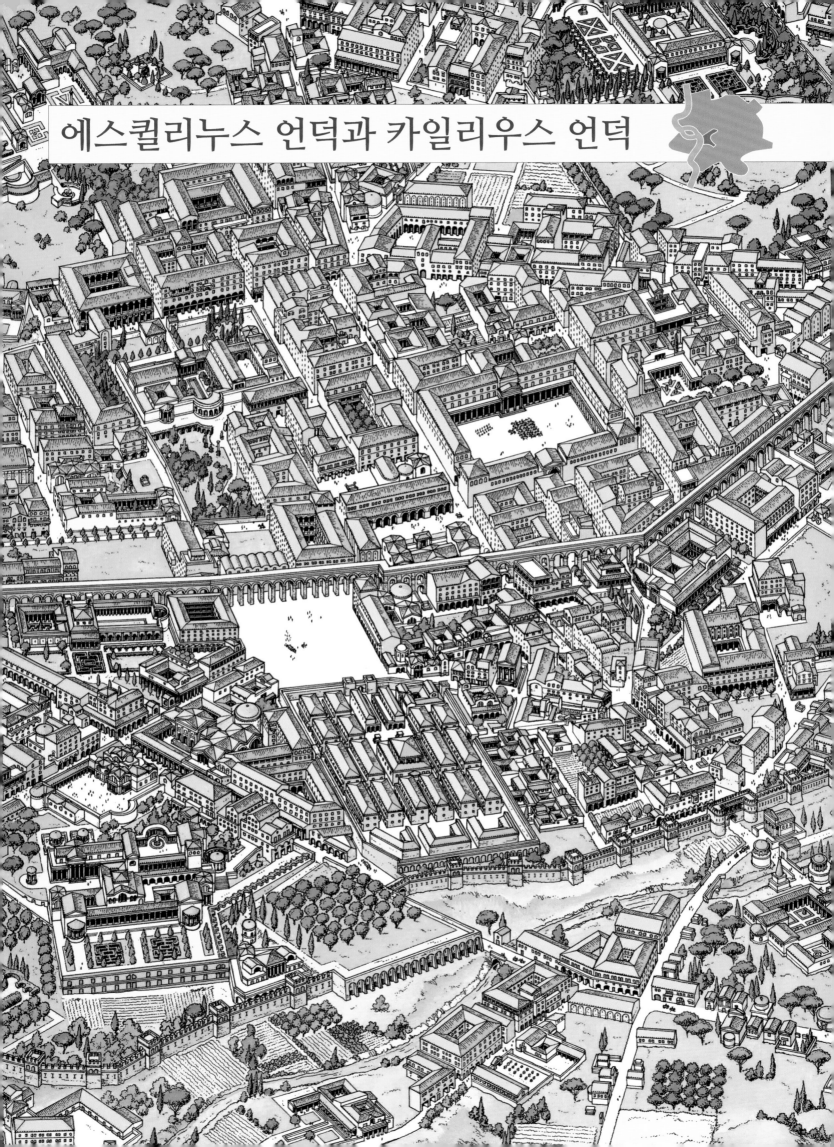

언 덕

에스퀼리누스의
성림(聖林)

온천수 저수장　아르게이
신당
의술의 신
미네르바 신전

실바누스
성소

프론토 정원

라
(3

코르넬리우스 프론토
& 콰드라투스 저택

메룰라나 장원

에 스 퀼 리

L. 아이밀리우스
융쿠스 저택?
(127년의 집정관)

도요지?

호라티우스
저택?

술키피아
트리아라 저택

비아 메룰라나

브루티우스
프라센스 저택?
(180년의 집정관)

페트로니우스
막시무스 저택
(455년의 황제)

메텔루스의
이시스 신전

페트로니우스
막시무스 포룸

플라비우스
클레멘스 저택
미트라 신당

페트리,
마르켈리니
가택교회

헬레나의 묘

황제
조폐소

클레멘스
가택교회

조폐소

샘

쿼르쿼툴라누스
가족 수호신당

비쿠스 스타타이 마트리스

쿼르쿼툴라나 성문

포로의 신
미네르바 신전

테트리쿠스 저택
(갈리아 족 황제)

신성한 숲의 중간지대

테트리쿠스
황제 근위대
숙소와 정원

스타타 마테르
개선문

필리푸스
아라비스 사저

C. 스테르티니우스
제노폰 저택

L. 바겔리우스 저택
(46년의 집정관)?

비아 카일리몬타나

승리의 신
헤르쿨레스 신전

아우렐리우스이
심마쿠스 저택

M. 발레리우스
푸플리콜라
막시무스 저택
(252년의 집정관)

디아누메누스
아우구스투스 저택
공보관

유곽
(매춘부 징세소)

아우

나
송
소)

세르비우스 툴리우스 방벽

비아 카일리몬타나

도미티
루킬라

카 일 리 우 스

발레리우스 가문
저택

여왕 이시스
신전?

도미티아 루킬라 정원
(M. 아우렐리우스의 모친)

병영수호신당
(닫집양식)

귀환의 신
유피테르
신전

외인부대

L. 칼푸르니
피소 저
(57년의 집

감옥

비쿠스 키클로피스?

파우스타 친정댁?
(콘스탄티누스의 부인)

메트로비아
성문

아우렐리아누스 방벽

스   언덕

에 스 퀼 리 아 이 구

토르콰투스
정원

(택
관)

와 봄의
마이아
정원

나

리키니우스 수라
저택

황제
제1기병근위대

미트라 신당

포르투나 신전

비아 카일리몬타나

마르스 연병장

(클라우디우스 수도교)

네로 수도교

L. 안니우스 베루스 저택
(M. 아우렐리우스 조부)

카일리몬타누스
연병장

실바누스 신당

비아 투스쿨라나

L. 루시우스
페텔리누스 저택?

마상

온천장

셉티미우스
세베루스 기지

라테라누스 궁
온천장

저수장

황제
제2기병근위대

아시나리아
성문

언 덕

라테라누스
가문의 궁

비밀성문

비아 아시나리아

라테라누스
가문의 뜰

마크리누스
황제 저택

비아 투스쿨라나

데켄니움 벌판

크라바 수도교

아우구스투스 황제 치세에 가장 유명했던 소시에스 형제의 출판사를 지나자, 견직물과 피륙 장사들이 늘 새 물건을 탐하는 귀부인에게 오리엔트산 수입품을 보여주고 있었다. 비쿠스 투스쿠스 길과 나란히 뚫린 명에 상가에는 장터와 관련된 업종이 모여 있다. 유피테르 대제관의 공관이 이곳에 있다.

그 길 끝에 있는 작은 광장 '아이퀴마일리움'은 스푸리우스 마일리우스의 추억이 남아 있는 그의 집터다. 마일리우스가 반역죄로 처형당하고 나서부터 저주받은 집터 취급을 받았다. 그래서 신의 제물로 바치는 클리툼누스[Clitumnus, 이탈리아 반도 중부 움브리아 지방의 강] 강변에서 키운 흰 소를 거래하는 우시장으로 바뀌었다.

향유상가로 상상병 환자, 새로운 가발을 찾는 대머리, 시들어가는 귀부인이 밀려든다. 가장 대단한 약장수들이 밀집한 곳에서 나는 발이 묶여 오도 가도 못했다. 얼마나 대단한 약효이길래 이렇게 붐빌까? 비쿠스 운구엔타리우스 거리에는 머릿기름과 연고 등 갖가지 약을 만들어 판다. 손님의 주문을 받아 제조하기도 하지만, 처방전도 정부의 통제도 없다. 어쨌든 독약 판매만큼은 엄중히 금지된다. 상당히 위험한 일이니까.

직접 장을 보는 일은 귀부인에게 걸맞지 않다. 이런 불편한 일은 남자 노예가 맡는다. 부녀자들은 향수 가게 진열대로 달려간다. 절제하기보다 물 건너 들어온 낯선 향기에 끌리는 것을 어쩌지 못한다. 하지만 점잖은 로마 사람으로서 키케로는 아티쿠스에게 보낸 편지에 이런 말을 했다.

"향수를 뿌리지 않는 여자의 체취가 제일이라네!"

1. 교량의 수호신 포르투누스 신전

2. 올리브 신 헤르쿨레스 상. (카피톨리니 박물관)

3. 벨라브룸 (Velabrum)구역. 고대의 지붕은 변함이 없다.

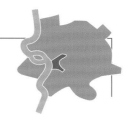

우리는 보아리움 포룸으로 나갔다. 옛날에 가축 시장터였다. 우리에서 도망친 황소가 이곳 공동주택 4층까지 뛰어올랐다고 한다. 또 어느 날은 장터에서 황소가 말을 하기 시작해 모였던 사람들이 아연실색했다는 전설이 있다. 사람들은 이런 일을 매우 심각한 흉조로 믿었다.

가축 시장터에 헤르쿨레스의 모습이 여전히 생생하다. 아주 머나먼 옛날, 헤르쿨레스가 소들을 이곳에 풀어 풀을 뜯게 했고, 에반데르(Evander) 왕이 그를 모시는 제단을 세웠다고 한다.

대제단 '아라 막시마'가 대전차경기장 곁에서 여전히 자리를 지키고 있다. 주변 곳곳에 헤르쿨레스의 신전들이 있다. 올리브 상인들이 추렴해 '올리브의 신 헤르쿨레스' 주랑과 '무적의 헤르쿨레스' 신전을 세웠다. 그리고 조금 떨어진 곳에는 '폼페이우스 사람 헤르쿨레스'의 신전도 세웠다.

훈련장이 들어선 마르스 벌판(캄푸스 마르티우스Campus Martius)으로 올라가는 길인 포룸 홀리토리움의 창고건물에 큰 채소 시장이 들어서 많은 사람이 오간다. 로마 사람들은 육식을 즐기지만, 마늘과 양파, 양배추, 무, 상추, 아스파라거스, 아티초크도 많이 먹는다. 삿갓버섯을 비롯해 갖가지 버섯들도 좋아한다. 박과 오이는 식탁의 자랑이며, 부자들은 가지 못지 않게 중시한다. '채소상의 코끼리'라는 재미있는 석상과 또 락타리아 원주 사이에서는 박애 단체 덕분에 가난한 어린이들이 우유를 받아간다. 구수한 시골 냄새도 흠뻑 맡을 수 있다!

1. 사방으로 문이 뚫린 야누스 개선문. 콘스탄티누스 황제가 지었다.

2. 승자의 신 헤르쿨레스 신전. 베스타 신전이 아니다.

3. 포르투누스 신전

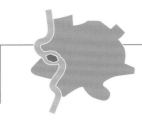

티베리스 강과 티베리나 섬

로마 시내에서 가장 큰 하수구 '클로아카 막시마'가 쏟아내는 물가에서 여러 종의 농어를 낚는다. 호라티우스는 시궁창에서 나오는 고기 맛이 좋다는 소위 미식가들의 입맛을 조롱했다! 그래도 낚시꾼들은 아이밀리우스 다리에 줄줄이 기댄 채 낚시를 한다. 쏟아지는 물은 뛰어들고 싶지 않은 구정물이다. 사실, 트라야누스 어시장에 거대한 수조를 건설한 뒤로는 가난한 사람들만이 여전히 오물과 불결한 물에서 기름지게 자란 물고기를 소비한다.

1. 로토 다리. 옛날의 아이밀리우스 다리.

2~3. 파브리키우스 다리와 티베리나 섬.

아이밀리우스 다리는 5백 년 넘도록 시내 열 개 다리 가운데 가장 통행이 잦다. 가끔 이 다리에서 절망에 빠진 사람이 강물에 몸을 던지기도 한다. 엘라가발루스의 시신을 이 다리 난간에서 티베리스 강에 서둘러 던진 때가 언제였던가!

조금 하류 쪽의 목재로 놓은 수불리키우스 다리가 시내에서 가장 오래되었다. 오직 거장 교량전문가만 나무다리를 수리할 줄 안다.

'로마라는 도시를 낳은' 어머니로서 로마를 살리는 티베리스 강에 이탈리아 반도 중부에서 내려온 배들이 집결한다. 청과들과 평범한 포도주를 운반하는 배들이다.

이 배들은 오스티아 항에서 전 세계의 풍부한 산물들을 싣고 다시 강을 거슬러 오른다. 10여 척의 배가 띄엄띄엄 떨어진 부두에 정박했다. 부두는 보아리움 포룸부터 엠포리움 또는 그 너머까지 이어진다. 티베리스 강 하구에 있는 오스티아 안티카(오스티아의 옛 항구)는 세계에서 가장 큰 항구이자 모든 것을 집어삼키는 도시의 창고다.

강 연안은 모래가 많아 특별한 매력은 없다. 세련되게 조성한 풍경 좋은 공원 지역 외에는 산책하는 사람도 드물다. 강줄기는 매우 변덕스럽다. 티베리스 신이 화를 낼 때면 배들과 지대가 낮은 물가 동네들을 물바다로 만들어 떠내려 보내며 며칠씩 범람한다. 그렇게 화를 풀고 나서 잠잠해진 뒤에는 진흙투성이 밭만 남는다. 그 기회에 한몫 잡으려는 부동산업자들이 바쁘게 뛰어다닌다.

티베리스 강은 공유재산이다. 고관의 지휘를 받는 관리책임자 다섯이 수많은 해방노예를 이끌고 강기슭과 하상을 관리한다. 다리뿐만 아니라 도하선을 이용해 강을 건너다니기도 한다. 모래가 갯빛이라 고와 보이지 않지만 다들 악착같이 퍼다 쓴다.

아담한 티베리나 섬은 대리석으로 덮인 머리와 꼬리, 돛대처럼 솟은 한가운데 첨탑 때문에 강 복판에 정박한 거대한 범선 같다. 이런 모양은 아이스쿨라피우스(Æsculápĭus)라는 뱀을 싣고 왔던 배의 기억이다. 「키벨레 예언집」에서 여제관들은 원로원에 의술의 신을 모시도록 그리스 에피다우로스(Epidauros)로 특사를 파견하라고 했다. 결국, 특사들이 성소를 찾아갔다. 그러자 거대하고 신성한 구렁이가 그들이 타고 간 카르타고 선박으로 기어올라 특사단장 자리에 똬리를 틀었다. 이런 모습에 사람들은 아이스쿨라피우스가 로마의 숭배를 받아들였다고 이해했다.

4. 케스티우스 다리. 파괴 전의 모습. 지금은 '폰테 체스티오'라 부른다. 1892년 확장 공사 뒤 가운데 홍예만 남고 나머지는 달라졌다.

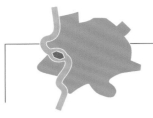

배가 티베리스 강을 거슬러 올라올 때, 구렁이는 배에서 뛰어내려 섬으로 헤엄쳐 들어갔다. 이렇게 로마 사람들에게 새 신전이 필요하다는 뜻을 전했다. 그 뒤로 돌림병이 갑자기 사라졌다.

아이스쿨라피우스 신전은 로마 의술의 중심지였다. 종교와 미신, 또는 마술과 결합한 모든 의술을 연구했다. 우리가 성소와 제단과 봉헌물로 덮인 섬을 건너가는 동안 병든 사람들이 주랑 밑에 멍석을 깔고 앉아 의사의 왕진을 기다리면서 울고 신에게 애원하고 있었다.

그러나 병자들 대부분은 의사들의 처방을 거의 믿지 못한다. 그저 기적을 빌며 밤을 지새운다. 어쩌다 그런 기적이 일어나기도 한다. 그럴 때마다 아이스쿨라피우스에 바친 공물이 많이 남아 있어 알 수 있다. 이런 전설이 있다.

티베리나 섬. 케스티우스 다리, 파브리키우스 다리, 아이스쿨라피우스 신전이 보인다. 신전은 로마에 하나뿐인 병원이었다. 저자의 복원도.

"눈이 먼 카이우스에게, 신께서 자기 신상 앞에 절을 하라고 명했다. 그런 후에 오른쪽에서 왼쪽으로 몸을 틀어 앞으로 나와 손가락을 기단에 올리고 나서, 다시 손을 쳐들고 눈을 비벼보라고 했다. 그렇게 맹인이 시력을 되찾았다. 그 자리에 있던 사람들 모두 기뻐 울었다. 루키우스는 늑막염을 앓아 고생했다. 모두 가망이 없다고 했지만, 신은 제단에 재를 가져다 포도주에 섞어 옆구리에 바르라고 했다. 정말 그렇게 해서 루키우스는 깨끗이 나았고 공개적으로 신께 감사드렸다. 사람들도 함께 축하했다."

이런 마술 같은 이야기를 엮은 책이 작은 빵처럼 팔린다. 어떤 행상이 아이스쿨라피우스를 믿는 사람들에게 세레누스 삼모니쿠스가 엮은 유명한 의술서 「실용의술 (Liber Medicinalis)」을 권한다. 모두 이 책 이야기를 해 나도 한 권 집어 들었다. 책은 엉뚱한 주문으로 시작되는 마술 공식으로 인체의 불가해한 수수께끼를 풀어낸다. 아무튼, 책이 너무 비쌌지만, 베티우스가 흥정의 귀재답게 수완을 보였다. 우리가 케스티우스 다리를 건널 때 책은 이미 내 수중에 들어와 있었다.

트란스티베림 구

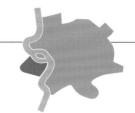

우리는 케스티우스 다리를 건너 티베리스 강기슭 왼쪽의 산업 지구로 들어섰다. 이 기슭의 포구는 수부라 지구처럼 저속한 느낌은 없다. 그저 가끔 거친 말이 들리는 정도다. 도시의 다른 구역과 거의 어울리지 않는 이 창고구역에는 오리엔트 세계가 전부 뭉쳐 있는 것만 같다. 강 건너 주민들은 이쪽으로 건너오는 일이 드물다. 이곳이 시골 같다던 시절이 얼마나 오래전 이야기인가!

마구잡이로 자라나 바람에 쓸리며 출렁이는 들풀은 마치 말꼬리 같다. 넓은 코데타 들판은 바람의 신 아이올루스(Aeolus)가 숨 쉬던 거친 들판 비슷하다. 지금은 티베리스 강 골짜기를 따라 풀밭만 우거졌다.

우리 조상들은 덕이 많았다. 언제나 되새기게 되는 이야기가 있다. 킨키나투스 집정관이 조국을 구하고 나서 얼마 안 되는 땅으로 돌아가 농사를 지었다는 사실을 누구도 잊지 않는다. 집정관 킨키나투스는 이곳 강변의 귀족 쿠인크티아 가문의 영지에서 쟁기질을 하다가 원로원이 그를 독재관에 임명했다는 소식을 들었다.

1. 티베리스 기슭의 독특한 골목

2. 오스티아의 궁륭을 올린 골목. 이 동네에 비슷한 것들이 많았다.

전원풍의 작은 신당(神堂)들이 숲속에 숨어 있는데 샘 곁에 있는 것들도 있다. '보나 데아', 분노, 복수, 지옥의 세 자매 여신 '푸리아이(Furiae)'처럼 이탈리아에서 오래전부터 숭배하는 신들을 모신 곳들이다. 지금도 제를 올리는 곳이 있다.

트란스티베림 지역[오늘날 트라스테베레]은 공화정 말기부터 시골다운 모습이 사라졌다. 강 건너 맞은편에 엠포리움 상점과 화물창고가 불룩한 배처럼 미어터지다 보니, 더 많은 용지가 필요했다. 그래서 평화롭게 놀리던 이곳 임야에 새로운 가게들을 지었다. 유대인은 오스티아 항으로 통하는 비아 포르투엔시스 거리에 상점을 차렸다. 그들은 유대 회당도 세웠다. 시리아 사람들은 야니쿨룸 길가에 폭풍우의 신 하다드, 태양신, 또는 시리아 여신의 신전들을 세웠다.

아우구스투스 황제는 거대한(530m) 타원형 못을 피비린내 나는 해전을 재연하는 모의해전장으로 조성해 국민을 즐겁게 해주었다. 모의해전은 수백 차례 열렸다. 알시에타나 수도교로 구정물을 끌어들여 해전장에 대었다가, 트라야누스 황제 때 바티칸에 새로운 모의해전장을 만들어 더는 수도교를 사용하지 않는다. 「탁시투스(Tacitus) 편년사」에 네로 황제가 즐겼던 음란한 심야축제에 대한 기록도 남아 있다.

1. 세라피스 공동주택 입구. 오스티아

2~3. 오스티아 거리의 모습

4. 구역에서 생산하던 기름등잔

트란스티베림에 비가 내리자 분위기는 더욱 스산해졌다. 아우렐리아 거리는 더럽고 거대한 벽돌건물들 사이로 난 길이다. 건물들에 노동자들이 층층이 모여 사는데 다른 곳보다 기독교도가 많다. 그들의 믿음은 확고하다. 신참들도 개미떼처럼 변두리에서 자기 날이 올 때를 기다리며 산다. 짐꾼들과 부두 노동자들이 오가고, 가마를 타고 아우렐리아 성문(오늘날 산판크라초 성문)을 거쳐 투스키아와 갈리아로 여행하는 사람들이 보인다.

많은 도공이 부지런히 녹로(轆轤)를 돌리고, 시내 최고의 목공들이 끌을 놀려 고객들이 감탄해 마지않는 완숙한 손놀림을 발휘한다. 요즘 가장 잘 나가는 상아세공장들은 제본공과 기독교 사제와 귀족들에게 많은 주문을 받는다. 더 위쪽인 야니쿨룸(Ianiculum) 구에 있는 C. 오피우스 레스티투투스의 공장은 3세기 전부터 가마에서 구운 도자기 기름등잔을 제국 전역으로 수출하고 있다.

비아 캄파나 길로 접어들자 주변에서 시큼하고 지독한 냄새가 코를 찌른다. 셉티미무스 세베루스 피혁공장에서 한창 물건을 만들고 있었다. 그 무서운 냄새에 나는 거의 토할 뻔했다. 부끄러운 일이다. 동네 사람들은 이런 무서운 냄새에 찌들어 하루하루 살아가지만, 더 나은 동네에 살 수 없는 사람들이라 거의 개의치 않는다. 어쨌든 이곳에서 폐하께서 내게 맡긴 서신을 보관할 이중바닥 지갑을 찾아야 했다.

큰 염색공장장은 갈림길마다 낡은 항아리들을 늘어놓아 행인들이 급한 볼일을 해결하도록 한다. 이렇게 해서 동네에 부족한 화장실 문제를 해결하고, 사람들은 밤새 부푼 체증을 던다. 주민들이 이용하는 공중변소라는 허술한 구덩이보다야 그나마 나은 방법이다. 직공들은 직물 염색에 쓸 만한 소변만 수거한다. 이들은 바다에서 채집한 연체동물의 분비물을 금값에 사들인다. 특히 뿔고둥은 푹 삭혀서 자줏빛과 보랏빛이 미묘하게 도는 맨드라미빛 염료를 얻는다. 염료를 소변에 녹이면 가장 밝은 색을 띤다. 염색한 직물은 뛰어나게 다양한 빛깔을 내지만, 마르티알리스가 별로 좋아하지 않던 불쾌한 냄새도 풍긴다. 그래서 시인은 이런 말을 하지 않았을까? "멋진 자줏빛 테를 두른 풍성한 고관의 법복에서 항상 장미가 피어날까?" 지위가 높다고 달콤한 사랑이 절로 이뤄지겠는가!

'풀로니카'라고 부르는 세탁장 안마당에는 각각 다른 염료들을 담은 큰 통들이 놓여 있다. 양모 실타래들은 완전히 염료가 배면 꺼내다 널어 말린다. 그다음에 한 번 더 통에 담궈서 염색소가 바래지 않도록 다시 굳혀 최상품을 얻는다. 그러나 직수입되는 페니키아 산 염료가 들어오지 못하는 경우에는 오직 사치품의 보증 수표가 되는 한 가지 색만 염색하는 전문가들도 있다.

1~3. 전차경주선수들의
공동주택

4. 셉티미아나 성문

동네 사람들은 이곳으로 빨랫감을 가져온다. 노예들은 빨랫감을 잿물과 황톳물에 차례로 담궈 기름기를 뺀다. 담쟁이 지붕에 덮인 빨래터 정자 밑에서 여자들이 방망이로 빨랫감을 두드려 직물을 더욱 질기게 한다. 그런 다음, 빨래를 헹구고 솔질해 펴고 나서, 반구형 버들가지 판에 얹어 말린다. 빨래가 다 마르면 노예가 다림질한다.

날이 개이며 무지개가 강에 걸치더니 해가 구름의 장막을 거둔다. 포르투엔시스 성문 너머 멀리, 율리우스 카이사르의 공원이 끝없이 펼쳐진다. 카이사르는 로마 사람들에게 했던 약속을 지켰다.

지금은 쾌적한 공원이지만 중심가에서 꽤 멀어서 찾는 사람이 거의 없다. 산책하기에 정말 좋은 공원이다. 주랑이나 덩굴로 덮인 정자 그늘 사이로 티베리스 강을 따라가며 걸을 수 있다. 그러다 보면 나무와 화초를 신화에서 본뜬 형태로 다듬은 작은 숲속으로 빨려 들어간다. 시원한 샘물이 솟고 폭포수가 쏟아지는 작은 숲이다.

6월 24일은 걷거나 꽃장식한 거룻배를 타고 고대 '행운의 여신' 포르투나 성소를 찾는 날이다. 이끼가 무성한 이 해묵은 성소는 아르발레스 형제(풍년기원제를 올리던 제관)의 거대한 송림 아래 반짝인다. 경이로운 풍경이다.

이곳에서 포도주를 마시며 즐거운 잔치를 벌여 행운의 여신을 찬양한다. 젊은이들은 덤불숲 속에서 바위틈으로 솟아나는 샘물처럼 티없이 맑은 웃음을 터트리면서 즐겁게 놀고 있었다. 어른들도 즐거워한다. 아무도 율리우스 카이사르가 바로 곁 은밀한 정원의 거처에서 맞이했던 이방의 여자, 로마 사람들이 그렇게 미워하는 클레오파트라를 생각하지 않는다.

야니쿨룸 구는 트란스티베림 위쪽에서 푸른 병풍처럼 펼쳐진다. 주민들이 열광하는 타원형 전차경기장을 숨긴 채 넓은 장원들이 잔뜩 들어섰다.

적당히 주변과 어울린 전망대에서 바라보면 로마 시내 전체가 한눈에 들어온다. 티베리스 강, 끊임없이 강을 오르내리는 배들, 일곱 언덕, 더 멀리 제일 깊은 곳에 티부르(오늘날 티볼리)와 투스쿨룸 지역의 산줄기가 보인다.

노을이 물들면, 영원의 도시는 뜨겁게 타오르

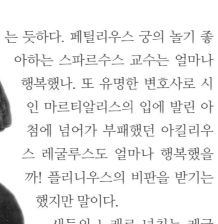

는 듯하다. 페틸리우스 궁의 놀기 좋아하는 스파르수스 교수는 얼마나 행복했나. 또 유명한 변호사로 시인 마르티알리스의 입에 발린 아첨에 넘어가 부패했던 아킬리우스 레굴루스도 얼마나 행복했을까! 플리니우스의 비판을 받기는 했지만 말이다.

새들의 노래로 넘치는 레굴루스의 정원은 야니쿨룸 비탈길과 주랑을 낀 강변 오솔길로 쭉 이어진다. 주랑 기둥 사이마다 입상들이 강물에 비친 제 모습을 무심히 들여다보고 있다.

야니쿨룸 비탈길에 트라야누스 수로를 따라 늘어선 물레방아들은 일백만 명 분에 달하는 어마어마한 양의 밀가루를 쉽없이 빻아낸다.

정부는 공적으로 소비하는 빵을 만들기 위해 밀의 거래를 일부 통제한다. 정부는 이곳에서 빻은 밀가루를 공공제과조합에 되판다. 아무튼, 간이식당들은 한두 명의 노예나 당나귀가 돌리는 방아를 여전히 이용한다.

1. 포르투나 신상

2. 야니쿨룸 언덕

카이사르 공원

빵집도 대물림한다. 어떤 빵집의 일자리가 비게 되면 정부가 강제로 사람을 끌어다 그 자리에 앉히는데, 그 방법이 걸작이다. 사창가를 찾아갔던 어느 경솔한 사람이 불행에 직면하게 된다. 여자들이 빵집과 한통속인 줄 알았어야 하는데! 일단 빵집에 들어가 반죽 일을 하기 시작한 사람은 평생 벗어나지 못한다!

다만 귀족의 저택에는 가족의 빵을 굽는 화덕이 있다. 이런 화덕에서 방금 구워낸 둥근 빵은 정말 구수하다! 최고급 밀가루 빵은 갈레트처럼 둥글고 바짝 구워 파삭하게 씹힌다. 하지만 너무 비싸다.

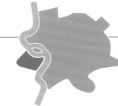

가난한 사람들은 누런 빵이나 시커먼 빵에도 감지덕지해야 한다. '시골 빵', '더러운 빵'이라고 불리는 빵이다. 거칠게 체로 친 밀가루빵이다. 이 빵을 배급받을 권리가 있는 사람들에게 무료로 배급한다. 노예들은 못된 주인이 던져주는 '개먹이 빵'이나 받는다. 자기 가축에게도 못 줄 몹쓸 밀가루 빵을!

나흘째 되던 날 새벽, 트란스티베림에서 화염이 치솟았다. 밤하늘이 순식간에 밝아졌다. 화재는 주민들이 가장 무서워하는 저주인데, 이번에는 간이식당에서 시작되어 공동주택 전체로 퍼졌다. 4층 건물 위에서 어떤 노인이 우칼레곤(그리스 신화에 등장하는 트로이의 원로)처럼 어쩔 줄 몰라 하며 "물, 물!"하고 외쳐 댔다. 불이 난 곳에서 가장 가까운 제7야경대원들이 비쿠스 비베리니 길로 황급히 달려나왔다.

주민들은 벌써 양동이를 줄줄이 늘어놓았다. 야경대원 셋이서 나무 호스를 건물 1층에 있던 방화수조에 연결하고 불난 곳에 물을 뿌렸다.

또다른 대원들은 호스를 볼라누스 수영장에 직접 연결해 펌프질로 물을 뿌렸다. 하지만 효과는 신통치 않다. 물줄기가 화마에 둘러싸인 섬 위에 닿지도 않는다.

아파트에 치솟는 불길을 피해 뛰어내리는 사람을 위해 건물 정면 밑에 두꺼운 매트들을 급히 깔았다. 사나운 불길은 이웃 건물로 번져 가는데, 막을 수단은 부족했다.

사다리와 갈고리, 식초에 적신 천과 걸레 조각, 도끼로 건물의 목조를 윙윙 울어대며 집어삼키기는 불길을 어떻게 잡을까?

목재에 붙은 불을 끄려면 화마 앞쪽을 텅 비우도록 투석기로 돌을 던지는 수밖에 없다. 큰 불 앞에서는 이런 식으로 더이상 타지 않도록 우선 건물부터 무너뜨려야 한다. 이런 방법밖에 사용할 수 없는 상황이 종종 일어난다.

야경대원들이 분주한 가운데, 동네 사람들은 재산이 검은 연기 속에 사라지는 것을 망연자실하게 바라만 보았다. 이제 누구도 다시는 여기에 살지 않을 것이다. 행운의 여신은 재난을 당한 사람에게 무자비하다.

1. 초롱을 들고 다니는 노예. 공용 조명등이 없는 시대를 밤에 돌아다닌다.

2. 화재에 대비한 저수장

로마의 치안

총 7개의 대대(Cohort), 7,000명 규모의 야경대는 2개 구역당 1개 대대가 배속되어 야간 치안과 화재예방을 담당했다. 야경대는 해방노예 출신자로 구성되었으며, 각 대대별로 4명의 의사가 배속되고, 1개 병영과 2개소의 경비초소와 구역당 1개의 부초소(Excubitoria)를 담당했다. 이들은 매일 야간 순찰을 하며 무서운 화재를 예방하기 위해 제정된 법률에 따라 행동했다. 로마는 네로 황제 시절에 끔찍한 화재로 14개 구역 가운데 네 곳만이 화를 면했던 재앙을 절대 잊지 않았다.

주간 경비 임무는 마르스 병영에 배속된 시장이 지휘하는 3개 대대 규모의 시경비대가 수행했다. 게르만 용병으로 조직한 정예 기병근위대(에퀴테스 싱굴라레스 Equites singulares)는 황제를 호위한다. 유명한 근위대였지만 지나치게 문제를 일으키는 바람에, 콘스탄티누스 황제 시대에 해체되었다. 그 대신, 순찰을 전담하는 외인부대(카스트라 페레그리나 Castra Peregrina)를 창설했다. 이들은 치안과 첩보를 전담한다. 외인부대 본부는 로마의 중앙구치소가 있는 카일리우스 언덕에 있었다.

퀴리날리스 언덕과
비미날리스 언덕

군신(軍神) 퀴리누스의 언덕, 즉 퀴리날리스에서 로물루스는 신이 되었다. 퀴리누스는 신격화한 로물루스의 별명이다. 시내에서 가장 오래된 축에 드는 그 신전은 사비니(Sabini)족의 고대 요새터 대부분을 차지한다. 로마의 최상층 가문 대다수가 여기에 거주했다. 아무튼, 비탈에는 공동주택들이 층층이 들어섰는데, 특히 수부라 쪽 내리막에 모였다. 풍자시인 마르티알리스는 이런 고층 건물 4층에 살았다. 아무튼, 퀴리날리스 언덕의 간선도로 '알타 세미타'를 따라 작은 봉우리 넷을 둘러싸고 귀족의 향기가 짙다.

언덕에 어스름이 깃들고, 카라칼라 황제가 알렉산드리아의 세라피스 신께 바친 거대한 신전 열주 뒤편에서 오렌지빛으로 길쭉한 띠를 펼친다. 길게 늘어진 기둥 그림자들은 우아한 콘스탄티누스 온천장 너머로 석양의 광채가 비추는 서측정면에 겹치며 신전을 상상으로 물들인다. 넓고 크게 뚫렸지만 어두운 온탕 앞에서 노을은 카스토르와 폴룩스의 대리석상에 금빛을 비춘다. 목욕을 마치고 나오는 사람들은 탈의실로 돌아간다.

1. 콘스탄티누스 황제 두상, 청동에 금장(카피톨리니 박물관)

2~3. 카스토르와 폴룩스 형제상과 티베리스 신상. 콘스탄티누스 온천장을 장식했다.

작은 노파가 바구니를 끼고 내 앞을 종종걸음치며 지나갔다. 오래된 제단에 포르투나 여신과 스페스(Spes) 여신, 즉 행운과 희망의 여신들에게 팬케이크를 바치려고 가는 길이다. 노파는 몇 마디를 노래하듯 읊고 나서 궁전 앞에 놓인 장중한 가마를 쳐다보지도 않고 돌아간다. 황제의 조상 불카키우스 루피누스의 궁전이다. 궁전에서 귀한 금사로 짠 망토를 걸친 사람이 뒤따르는 하인과 함께 내려온다. 하인은 주인 식탁에 올릴 설탕 절인 과일을 넣은 파이 몇 조각과 냅킨을 들고 있다. 언제나 그렇듯 식탁을 더욱 돋보이게 할 냅킨이다.

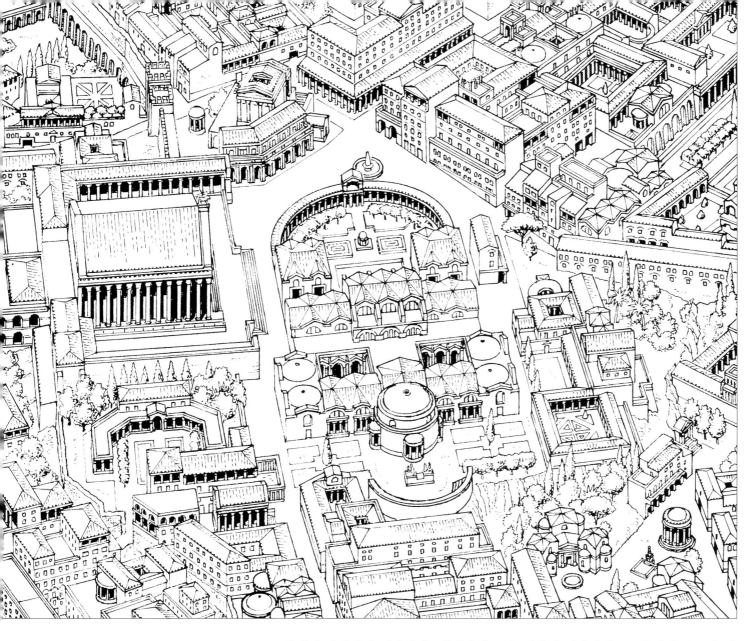

샛별이 반짝이기 시작하자, 새색시의 고운 행렬이 지나간다. 두 총각이 연보라 베일을 두른 새색시를 자기 집 문간에서 기다리는 신랑에게 둘러메고 간다. 여자들은 사랑의 찬가를 부르고 남자들은 추잡한 농담을 교환한다. 물론 신혼부부를 축복하는 덕담이다. 나도 슬며시 클로에 생각을 했다. 며칠 뒤 로마를 떠나야 하는데 클로에에게 좋은 추억거리를 남겨줄 묘수가 없을까?

신의(信義)의 신 세모 산쿠스를 모신 성소는 초기 왕국 시대로 거슬러 오를 만큼 오래되었다. 타르퀴니우스 프리스쿠스 왕(Tarquinius Priscus, 에트루리아 출신의 로마 왕)의 부인 타나퀼의 입상이 서 있다. 방추와 씨아 등, 물레 도구를 경건한 유물로 보관하고 있다. 가비이 시(Gabii, 로마 인근)와 맺은 우호조약을 당대에 새겨둔 가죽 방패도 있다. 안전과 복지의 여신 살루스 신전에는 파비우스 픽토르의 그림들이 있다. 사미테스 족을 상대로 치렀던 초창기 로마 자손들의 혹독한 전쟁을 보여주는 그림들이다. 로마는 과거를 가꾸고 그곳으로부터 힘을 끌어낸다.

그라나다(Granada) 구의 베스파시아누스 황제 생가를 지나면 고대 농사의 여신 플로라 신전으로 통하는 길이 나온다. 신전 안에 이용업 조합이 있다. 가게에 간판 장식으로 가위들을 걸어두었다. 정면에, 이발사가 거울을 내걸어 행인들은 거리낌 없이 제 모습을 비춰보며 감탄한다. '톤스트리나', 즉 이발소에서 사람들은 자연스레 어울려 세상만사를 토로하며 시시콜콜한 이야기

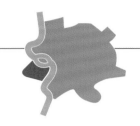

퀴리날리스 언덕과 비미날리스 언덕

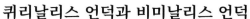

도 스스럼없이 나눈다. 떠드는 소리가 길에서 들릴 정도로 시끌벅적할 때도 드물지 않다. 새벽부터 여덟 시까지, 이발소 장의자에 앉아 잡담을 나눈다. 그 한가운데서 손님은 등받이 없는 의자에 앉아 가운을 두르고 이발사와 조수들에게 머리 손질을 맡긴 채 안절부절 못한다. 사실 침을 뱉어가며 돌에 간 면도칼과 머리칼을 둘둘 말아 꼬는 무쇠 파마기는 크림을 바르지 않은 부드러운 얼굴을 긴장시키는 고문 기구 같다. 그렇게 하다 보면 별수 없이 얼굴에 피가 나기 마련이다. 그러면 기름과 포도주에 거미줄을 섞은 반죽을 발라 다스린다. 어쩌다 심각한 상처를 입으면 손님은 법에 호소한다. 물론 좋은 이발소들도 있다. 그러나 너무 시간을 잡아먹어 한없이 참아야 한다. "이발사가 털북숭이 목신(牧神)의 얼굴을 빙 돌아 면도하는 동안 새 수염이 날 지경이다!" 풍자시인 마르티알리스의 우스꽝스러운 비유다.

하지만 이런 위험부담도 멋을 내려는 마음을 억누르지는 못한다. 너도나도 최신식 헤어스타일을 과시하려고 기를 쓴다. 게다가 가능한 한 황제의 머리를 흉내내려 한다. 일찍부터 머리가 벗어진 사람들은 미용사들을 통해 머리카락으로 고민거리를 숨기려고 고심한다! 여자들은 야만족의 모발로 짠 금발 가발을 사려고 큰 돈을 들인다. 그래서 이발소에서 아이스쿨라피우스 신전보다 더 자주 기적이 일어난다. 작고 둥근 천 조각을 교묘히 염색해 얼굴에 붙이는 식으로 상처와 흉한 자국을 위장한다. 너무 깔끔하고 발랄해 오히려 싱거워 보이는 얼굴에는 애교점을 붙여 돋보이게 한다. 마르티알리스는 친구 라이티누스의 얼굴이 달라지자 이렇게 놀렸다!

"백조가 까마귀가 되었네!"

어쨌든 미용사들은 손님이 놀라 자빠질 요금을 받는다. 그중 몇몇은 부동산 부자가 되기도 하겠지만…. 어쨌든 이런 소문이 자자하다!

플로라 신전 바로 곁에는 붉은 염료로 그림 물감을 만드는 공방들의 조합이 있다.

'알타 세미타' 길은 세르비우스 툴리우스의 방벽에 뚫린 콜리나 성문(Porta Collina)에서 끝난다. 여기부터 살라리아 길이 시작된다. 이 길

1. 개인주택을 장식한 입상(바티칸 박물관)

2. 오스티아에 있는 7현제 온천장. 로마 시내 대부분의 수많은 온천장은 이것과 비슷하다.

3. 아마존 입상 (카피톨리니 박물관)

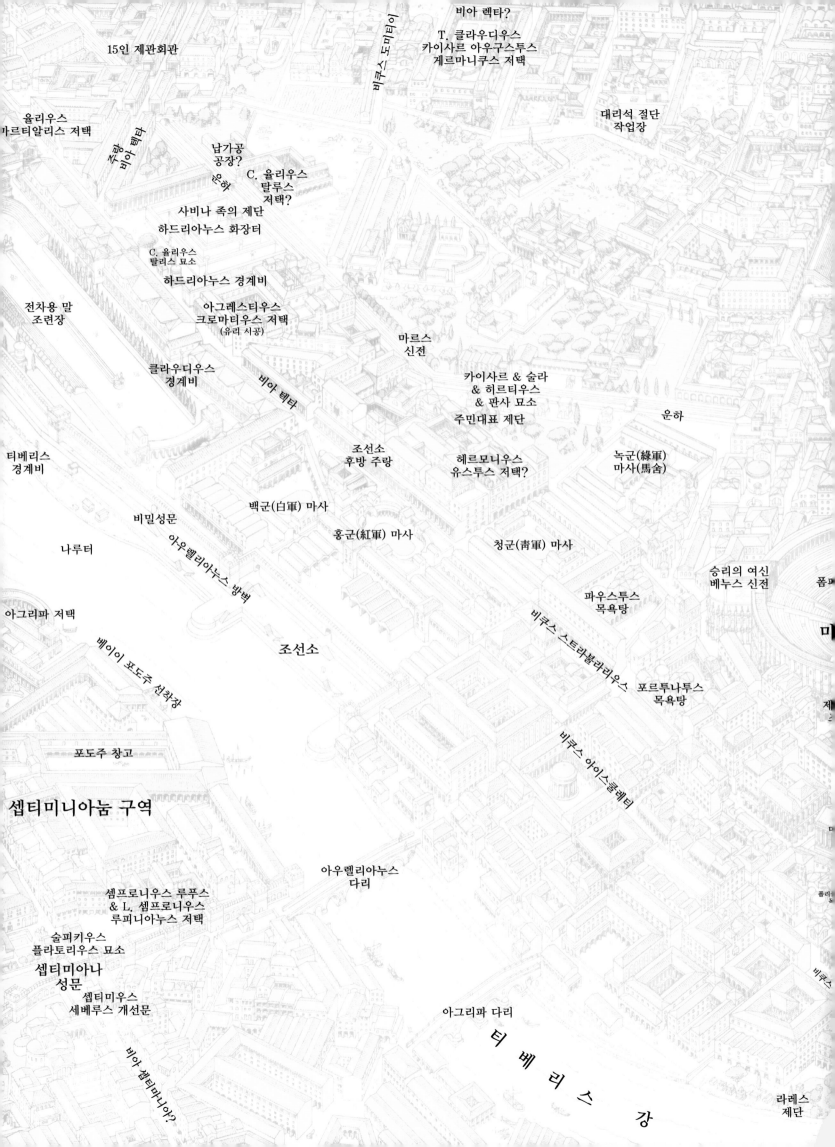

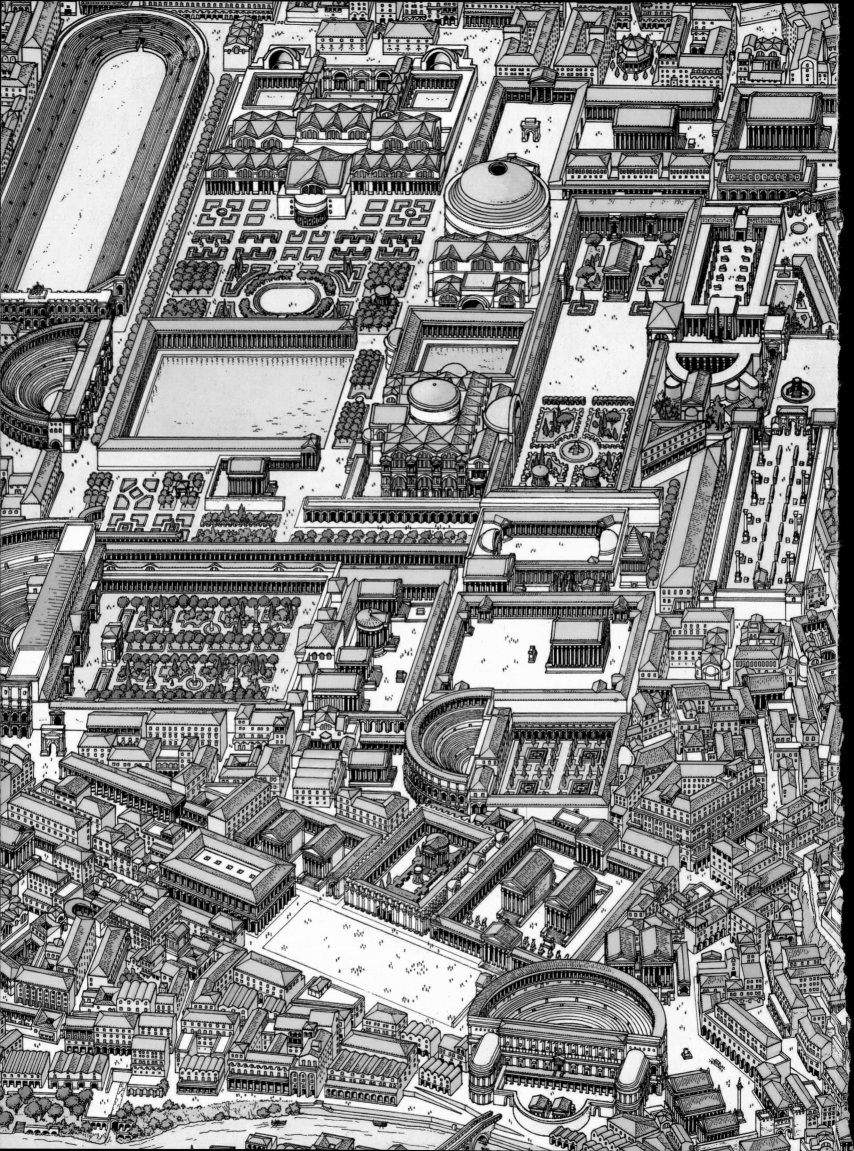

9구 야경대 초소

L. 카이사르 &
C. 카이사르 기념비와
님프샘터

마티디아 대회당
(하드리아누스의 장모)

하드리아누스
신전

네로 온천장

판테온 도서관

세베루스
알렉산데르 온천장

경건신앙의
개선문

마티디아 신전

도미티아누스
경기장

마르키아나 대회당
(마티디아의 모친)

알렉산드리나
대회당?

비르기니스
홍예문

마르스 벌판의
이시스 신전

판테온

아그리파 총림

넵투누스
대회당

미네르바 또는
마르스 신전?

스핑크스와
오벨리스크

이시스
개선문

4문형
개선문

음악당

행운주랑

세라피스
신전

칼키디케의
미네르바 신전

아그리파 못

아그리파
온천장

도미티아누스
개선문

베스파시
아누스 신

티투스
신전

행운신전

제신주랑

플라타너스 ?
1백주랑

투표소

율리아 묘소
(카이사르의 딸)

이우스
극장

수자원관리소
유투르나 신전

미누티아 프루멘타리아 주랑

아그리파 묘소

곡물창고

마르스
제단

화장실

현재의 여신
포르투나 신전

님프 신전

투르키
가문 저택

르   스   벌   판

원로원
회관

페로니아 신전

무사귀환의
여신 포르투나
신전

선원 가족 수호신전

밀 배급장

화공
합

폼페이우스 주랑

벽락의 신 유피테르 신전

발부스
극장

발부스 지하 공방

공중화장실

티베리우스
개선문

부부수호여신 유노 신전

펠리클레스
공동주택?

대주랑

넵투누스
신전

그릴루스
목욕탕?

불카누스
신전

옥타비아 주랑
옥타비아 학당

마로우
기마

르스
신전

옥타비우스
주랑?

헤르쿨레스 &
무사이 신전

도서관

여왕 유노
신전

천둥의
유피테르
헤카테 신

도미티우스
아헤노바르부스
제단

레이우스
욕탕?

수호신 헤르쿨레스
신전?

수호신
유피테르
신전

소시우스의
아폴로
신전

두오 아이데스

필리푸스 주랑

플라미니우스 경기장

타우루스 입상과
원형극장 터

벨로나
신전

율리아 가문
성 누마 신

카스토르 & 폴룩스
입상과 신전

게르마니쿠스
홍예문

원로원 집회장

이스쿨레티

플라미니우스 벌판

마르켈루스
극장

아폴리나레
전쟁기념주

칼푸르니
홍예

야채와 청과
장터

승리주랑?

100계

루케이우스

야누스 신전
구원의 여신
유노 신전

락타리아
기념주

참나무숲

디아나, 피우스
신전

희망의 여신
스페스 신전

카르멘타
성문

포르투나

파브리키우스 다리

스켈레라트 성문   아레스 분수

아그리파 캄푸스

유피테르
님프샘터

말 조련장

화원

셈프로니우스
묘소

카투스 샘

P. 암펠리우스
저택

폼포니우스
가문 주택

카일리우스
사투르니누스 저택

나르키수스
전당

평안의 여신
살루스 신전

살루스
성문

비르고 수도교

비프사니아
주랑현관

염소 신당

율리우스
폼페이아누스
루소니아누스 저택

클리부스 살루타리스

아르게이
신당

라우디우스
개선문

세라피스
신전

클리부스 람푸티스

루키나
저택과
가택교회

클라우디우스
에트루스쿠스
목욕탕?

길리우스
도 저택

콘스탄티누스
주랑

콘스탄티누스
온천장

제1야경대

케이오누스 루푸스
람파디우스 저택?
(36년의 집정관)

디오클레티아누스
개선문

비쿠스 카프라리우스
콘스탄티누스 주랑

폰티날리스
샘

카스토르&
폴룩스 입상

비
아
라
타

세모 산쿠스
신전

니그리니우스
창고?

아르게이
신당

L. 나이비우스
클레멘스 창고

포르투나 또는
스페스 신전?

클라우디우스
가문 목욕탕

비쿠스 롱구스

미트라 신당

비쿠스 산키

비
아
라
타

가니메데스
분수?

산쿠알리스
성문

푼다니우스의
헤르쿨레스 신전

푸블리아 마르키아
세르기아 푸스카 저택

네비우스
클레멘스 저택

L. 아우렐리우스
아가클리투스 저택

푼다니우스
분수

디아나 플란키나 신전

아이밀리아나 구

트라야누스
신전

팔마타 전당?
울피아
도서관

비쿠스 인스테이우스
아르게이 신당

에우키테키 공동주택

트라야누스
기념주

아트리움 중정

실바누스
신당

팔라스
목욕탕

울피아 대성전

트라야누스 시장

대제관
공관

클라우디우스
가문 묘소

부블루스 묘소

감찰문서보관소

트라야누스 포룸

제국 포룸

데키우스
주랑
비쿠스 팔라카나이

신용의 신
유노 신전

마르쿠스
아우렐리우스 개선문

만곡주랑

트라야누스
기마상

푸르푸레티카
주랑

조폐소

샘물 신당
(폰티스 신당)

카피톨리누스
첨탑

복수의 신
마르스 신전

벨로나 &
비르고 &
카일레스티스
& 이시스 신당

명예와
미덕의
신전

폰티날리스
성문

마이키우스
블란두스 저택

길흉점복
신당

모신 (母神)
베누스 신전

트라야누스
개선문

ARX

비
쿠
스
유
가
리
우
스

드루수스
개선문

게르마니쿠스
개선문

조폐소
계단

네로
주랑

화합의 신전

아르겐타리아
대성전

아피아데스
분수

아우구스투스 포룸
국부의 사두마차

후진주랑

카피톨리누스의
피테르 신전

라우메나 성문

공문소보관소

미트라 신전
(감옥)

툴리아눔
감옥

카이사르
기마상

네르바
개선문

미네르바
신전

경적대

베네피키엔티아
신전

미트라 신당
네로
천둥의 신
유피테르
신전

베이오비스
신당

아테나이움 현관

카이사르 포룸

네르바 포룸
(환승장)

아우라 님프
입상

복수의 신
마르스 신전

최고신
포르투나 신전

콘코르디아
신당

미네르바
입상

원로원
회관
(율리아
쿠리아)

원로원 별관

역대황제신상

아우라
흥예실

서약의 신
유피테르
신전

스키피오 가문
개선문

파우스티나 신당
(가려져 있음)

야누스 4문
개선문

베스파시아누스 포룸
(평화 포룸)

유피테르 입상

만곡주랑

베스파시아누스
신전

셈티미우스
세베루스
개선문

민회집회장

아이밀리아 대회당

평화 신전

수호자 유피테르 신전

옴스
신전

남서풍의 신 유피테르
기념주
스테르코라리아 성문

12신
주랑

로스트라

정화의 여신
베누스 신당

안토니누스
& 파우스티나 신전

도서관

의 신
르 제단

에렉스 산신
베누스 신전

사투르누스
신역

로마 포룸

비아 사크라

로마 신전

멘스 신전

카피톨리누스 성역

사투르누스
신전

티베리우스
개선문

세르빌리우스
분수

쿠르투스 못

디오클레티아누스 7기념주

C. & L. 카이사르 주랑
아우구스투스
개선문

율리우스
카이사르 신전

로물루스 유피테르
신전

콘스탄티누스
대회당

타르페이아
바위

비쿠스 유가리우스

안니우스 밀로
파피니아누스 저택

야누스
개선문

율리아 대성전

디오클레티아누스
로스트라

레기아

수호신
카이사르
& 바쿠스
원형신당

이퀴마일리움

케레스 & 옴스
& 유노 제단

로마 신의
신당

아우구스투스 신전
부속도서관

카스토르 &
폴룩스 신전

아우구스투스
개선문

베스타 신전

황제근위대

여제관 공관

카이사르
또는
황제수호신
제단

제르 마루타 신전

4황새치
분수

노예시장

아우구스투스
신전

미네르바 신당

보르툼누스
신당

가이이 아트리움

환형계단

대제관 공관

칼리굴라 궁

1. 티볼리에 남아 있는 하드리아나 별장은 공원 언덕에 서있는 궁전들과 비슷하다.

2. 살루스티우스 (Sallustius)공원에서 발굴한 띠벽장식. ('첸트랄레 몬테마르티니'. 과거의 온천장을 개조한 박물관)

3. 이와 같은 수많은 석상들이 공원을 수놓았다.(캄피돌리오 박물관)

로 살라리아 성문을 거쳐 무역상들은 오스티아 습지의 모래를 이탈리아 반도 중부 지방으로 실어 나른다. 고대에는 로마 사람들과 사비니 사람들은 필수품인 소금을 독점하려고 오랜 세월 동안 싸웠다. 사비나(Sabina) 땅으로 소금이 들어오지 못할 때 주민들은 재로 대신했다.

세르비우스 방벽과 아우렐리아누스 방벽 사이에 넓은 공원들이 화려하게 펼쳐진다. 인구가 밀집한 번화가를 둘러싼 사실상 훌륭한 '녹음의 띠'다. 미식가로도 유명한 루쿨루스 장군은 소아시아 폰투스 왕국의 미트리다테스(Mithridates) 대왕과 전쟁에서 거둔 믿기 어려운 노획물 덕에 처음으로 '정원 언덕'에 정착했다. 장군은 개선하면서 버찌 나무를 이탈리아로 들여와 심었다.

거대한 계단이 여러 테라스에 걸쳐 열주를 두른 넓은 반원형 건물까지 이어진다. 그곳에서 시원한 비르고 수도교의 물이 층층이 떨어지는 폭포들로 쏟아진다. 분수와 정자가 어우러진 파르나수스(Parnassus) 동산에서

루쿨루스 장군은 저녁마다 친구들을 초대해 전대미문의 깜짝 놀랄 만한 요리를 함께 즐겼다. 그러던 어느 날, 식탁에 장군 혼자뿐인 것을 보고 요리사가 어리둥절해 하자, 재미있게 살고 싶어 했던 장군은 이렇게 답했다. "뭐가 어때서? 루쿨루스 집에서 루쿨루스가 저녁을 먹잖아. 몰라? 내 집에서 내가 먹는데!"

팍 늙은 '노땅' 클라우디우스(Claudius) 황제에게 너무 과분하던 젊은 아내 메살리나(Messalina)는 이 정원을 차지하고 싶어서 애를 태웠다. 그러나 당시 정원 주인은 팔팔한 정치인 발레리우스 아시아티쿠스였다.

아시아티쿠스는 감히 건방지게 젊은 황후를 거들떠보지도 않고 다른 여자를 사랑했다. 황후는 질투심에 불타 복수에 나섰고, 아시아티쿠스에게 최고 반역죄를 덮어씌워 정원을 차지했다.(아시아티쿠스는 자살했다)

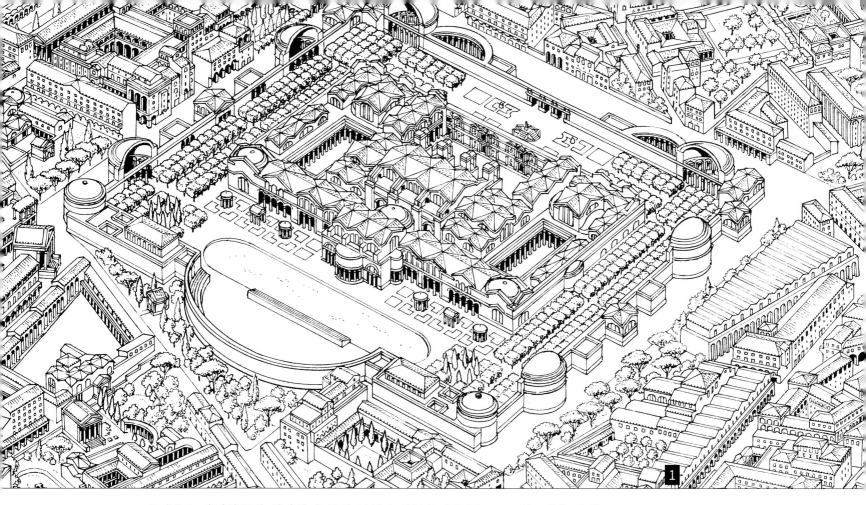

율리우스 카이사르의 영지였던 곳에 역사가 살루스티우스(Sallustius)는 매우 수상한 자금을 쏟아부어 로마 시내에서 가장 넓고 멋진 정원을 설계했다. 그곳에 들어가 만년에 시원한 나무그늘 밑에서 조용히, 사치와 부패에 대해 분노하면서 집필에 전념할 작정이었다.

역대 황제들은 이 정원에 머물며 조경을 계속 새롭게 가꾸었다. 골짜기 두 곳에서 경기장으로 계곡물이 졸졸 흘러든다. 하드리아누스 황제 때 세운 거대한 샘이 솟는 동굴, 궁전, 포룸, 이집트식 첨탑, 베누스 여신에게 바친 신전 두 채, 이 모든 것이 풍성한 녹음과 다듬은 회양목 화단 사이에 들어섰다. 여기에 아우렐리아누스(Aurelianus)는 일천 보 길이(약 300m)의 주랑을 추가해 그 사이로 말을 타고 거닐었다.

관대한 군주는 자신이 로마에 부재중일 때 자신의 정원을 일반에 공개했다. 그래도 다 돌아보려면 며칠은 족히 걸릴 수밖에 없다! 저녁 황혼 녘에 거닐다 보니 지워지지 않은 기억이 새롭다. 깊이 심연처럼 얽힌 정원 너머에 숲이 우거지고, 항아리들과 대리석 신상들을 끼고 있는 동산은 신비스런 아르카디아의 풍경처럼 보인다.

신들이 살던 신성한 자연! 정자들이 곳곳에 숨었고 그 곁 베누스가 탄생했다는 전설의 샘도 놀랍기만 하다. 푸른 덤불 속에 파묻혀 잊혀진 고대의 어떤 왕이 신비롭게 꾸몄다. 이곳에서 먼 옛날의 그리스 신화가 한 편의 시처럼 흘러나온다.

조용한 변두리의 비미날리스 언덕은 '버드나무숲의 언덕'이다. 안락한 별장들과 우아한 대중탕들이 아픈 상처에도 곳곳이 버틴 곳이다.

이곳에서 디오클레티아누스 황제에게 핍박당하던 기

독교도 4만 명이 로마 역사상 가장 거대한 온천장을 건설하는 노역을 해냈다. 이곳에 3천 명이 동시에 입장해 목욕을 즐긴다. 카라칼라 황제의 온천장들을 거의 무색하게 할 만큼 웅장하고 호사롭다.

옛 세르비우스 성벽 부근 스켈레라투스 벌판은 순결서약을 지키지 못한 여제관을 생매장하던 자리다. 거의 11세기에 걸쳐 스무 명 가량의 여제관들이 희생양이 되었다.

비미날리스 성문 너머, 넓은 벌판은 근위대원들이 높은 벽에 둘러싸인 막사 앞 훈련장으로 사용한다. 콘스탄티누스 황제가 1만 병력을 모집했을 때, 그들은 민간주택을 빌려 병영으로 사용했다. 시내 주둔지의 경계가 되는 요새 일부를 헐어내기도 했다. 이제 더는 요란한 반역의 무리가 황제를 세우거나 끌어내리거나 하지 못할 것이다. 시대도 달라졌다….

1~2. 디오클레티아누스 온천장

3. 온천장을 장식했던 격투기선수 상

에스퀼리누스 언덕과 카일리우스 언덕

로마의 일곱 개 언덕 가운데 에스퀼리누스 언덕이 가장 많이 변했다. 옛날에는 이 언덕이 가장 지저분했다. 악취로 넘치는 깊은 구덩이에 가난한 사람들과 동물들을 매장했고, 을씨년스런 새들이 먹이를 찾아 그 위를 맴돌았다. 이렇게 음산하고 삭막한 배경에서 새벽이면 세월에 뿌옇게 변색한 유해 더미가 환하게 드러나곤 했다. 더구나 당시에는 사형수 처형장이 있었다. 밤이 되고 둥근 달이 뜨면 머리를 풀어 헤진 끔찍한 마녀들이 고지 위로 스산한 그림자를 드러냈다. 마녀들의 발걸음마다 죽음이 따라다녔다. 마녀들은 떠돌이 개들에게 시체를 물어오게 하고, 기다란 손톱을 부러뜨려가면서 뼈를 발라내었다. 무시무시한 주문이 어둠 속에 울리면 어린 양의 신선한 피가 뱀들이 지켜보는 가운데 묘지 속으로 스며들었다.

요즘도 주민들은 부근 '빛의 여신' 유노 신전에 사망신고를 한다. 장례식은 에스퀼리누스 성문 근처, 오래된 묘지 입구에 자리 잡은 '죽은 자들의 여신' 베누스 신전에서 치른다. 관을 파는 장의사는 집정관을 지낸 루키우스 아룬티우스 영묘 근처에 있다.

아우구스투스 황제 치세에 몇 년간 대규모 공사로 이 땅을 흙으로 덮어 신시가지를 조성했다. 황제는 예술 애호가로 유명한 친구 마이케나스(Mæcenas)를 모방해, 자신의 모든 궁전에 화려한 정원을 가꾸었다. 물론 광장도 조성했다. 그러나 그 뒤로 세월이 흘러 라미아 정원 수위들이 암살당한 칼리굴라 황제의 시신을 불태워 모욕할 때, 그들은 유령을 보았다고 확신에 찬 어조로 말했다.

네로 황제는 그 지역을 모두 몰수해 자신의 황금 궁전에 편입했다. 이 황금으로 치장한 궁전은 시내 전체를 뒤덮을 기세였다. 그래서 이렇게 탄식하는 사람도 나왔다. "로마가 이제 모두 자기 집인가! 시민 여러분, 네로가 아직 거기까지 넘보지 않을 때 베이우스(Veius, 로마 변두리)로 이사합시다!"

얼마나 기막힌 호사인가! 네로 황제는 모든 건물을 금장하고 귀금속과 진주조개로 덮었다. 식당 천장에 상아조각을 붙였고 회식참석자들에게 비싼 향수를 끼얹는 구멍도 여럿 숨겨두었다. 꽃잎들이 비처럼 쏟아져 내리도록 구멍을 열어두기도 했다.

1. 갈리에누스 황제 두상

2. 아우구스투스 황제의 비, 리비아 황후상으로 화려한 성문을 장식했다.

3. 에스퀼리누스의 갈리에누스 개선문.

둥근 형태의 대연회장은 건물이 돌아가는 느낌을 준다. 온천장에는 해수와 유황성분이 섞인 온천수가 흐른다. 네로는 이런 궁전을 준공하면서 "이제야 사람답게 살게 되었다!"라며 안심했다.

야수가 들끓는 산에 둘러싸인 호수는 파도가 치게 만들어 두었다. 정말로 원기둥들을 숲처럼 박은 거대한 주랑이 카일리우스와 포룸 주변을 덮고 있었다. 이 모든 것은 네로 황제가 자살하고 나서 전부 파괴되었다. 호수터에 콜로세움이 들어섰고, 화려한 티투스 온천장, 트라야누스 온천장 등이 황궁을 덮어버렸다.

에스퀼리누스 언덕 발치로 썩은 내 나는 수부라 쪽으로 내려가다 보면, 카렌스라는 멋진 동네를 지나게 된다. 폼페이우스의 훌륭한 집은 과거에 '대장원'이라고 불렀다. 지금도 들어가 볼 수 있다. 부근에 위대한 역사가로 원로원위원을 지낸 키케로 형제가 살았다. 시청 청사, 발비누스(Balbinus) 황제의 궁도 남아있다.

언덕의 또 다른 끄트머리, '오랜 희망'의 정원에 엘라가발루스 황제는 세소리움을 세웠다. 방대한 궁전이다. 거대한 전차경기장이 딸렸고, 황제가 고향 에메사 이교도의 신 바알에 바친 원형극장도 붙어 있다. 매년 가장 더운 날이면 팔라티누스 신전에서 무적의 태양을 상징하는 검은 돌을 정원 안에 있는 황제의 하궁까지 옮기는 기이한 행사를 치렀다. 황제는 큰 양산을 세우고 황금으로 치장한 4두 무개 마차에 올라 후진으로 행차했다. 로마의 여러 신상들이 들것에 실려 그 뒤를 따랐다.

1. 어린 시절의 네로 황제

2. 라오콘 군상. 원래 황금전에 있던 것을 트라야누스 온천장에 옮겨놓았다.

3. 트라야누스 온천장 부속 도서관

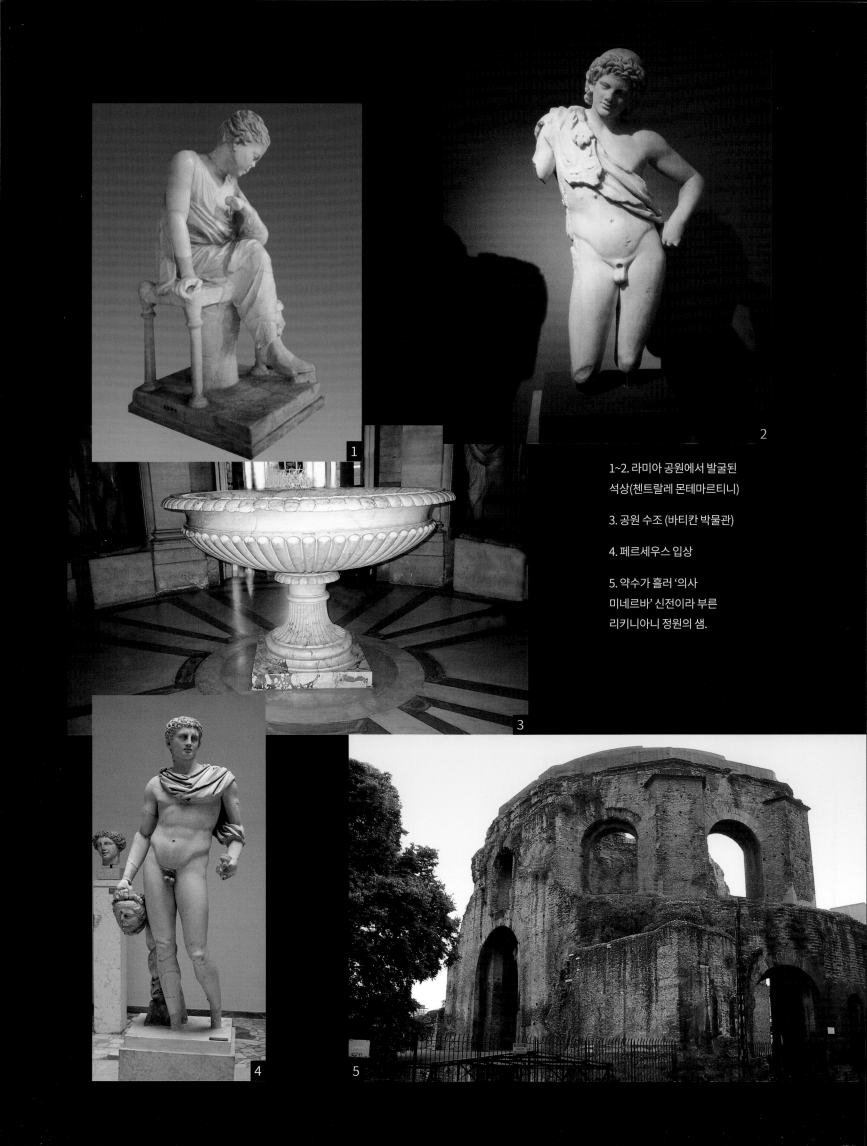

1~2. 라미아 공원에서 발굴된 석상(첸트랄레 몬테마르티니)

3. 공원 수조 (바티칸 박물관)

4. 페르세우스 입상

5. 약수가 흘러 '의사 미네르바' 신전이라 부른 리키니아니 정원의 샘.

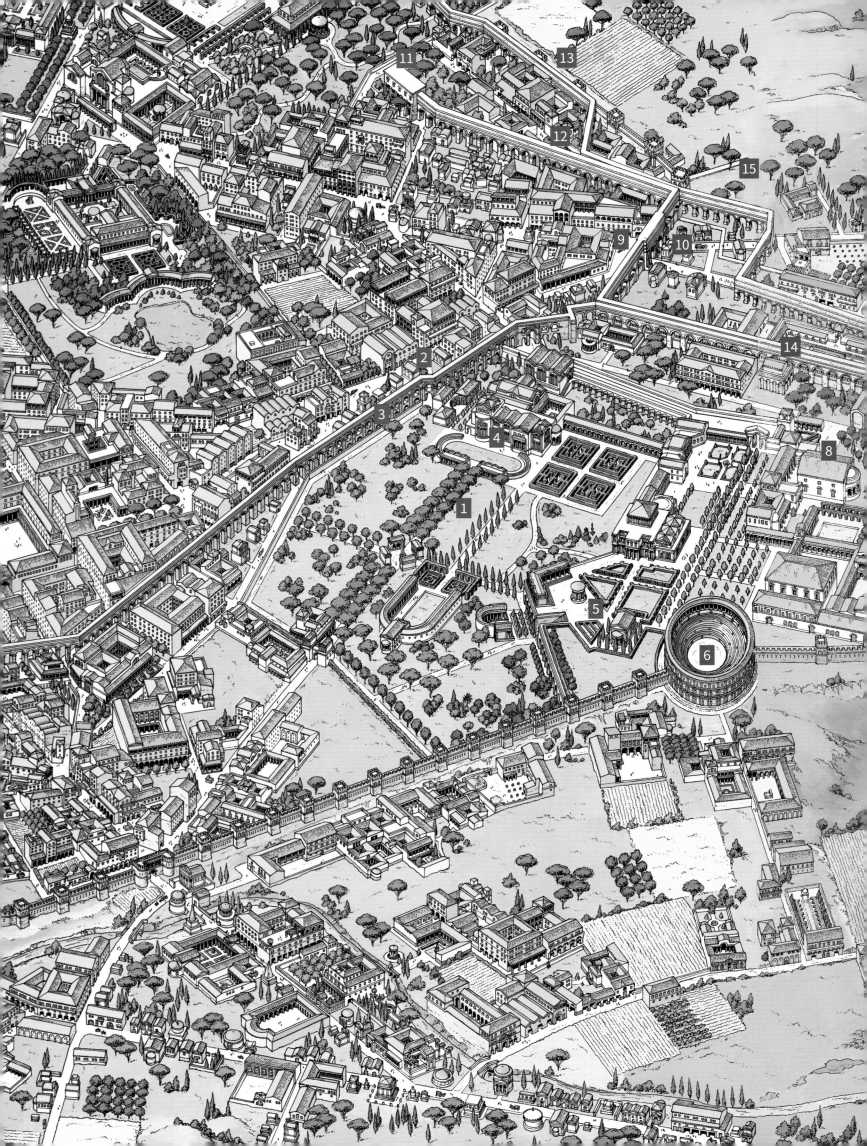

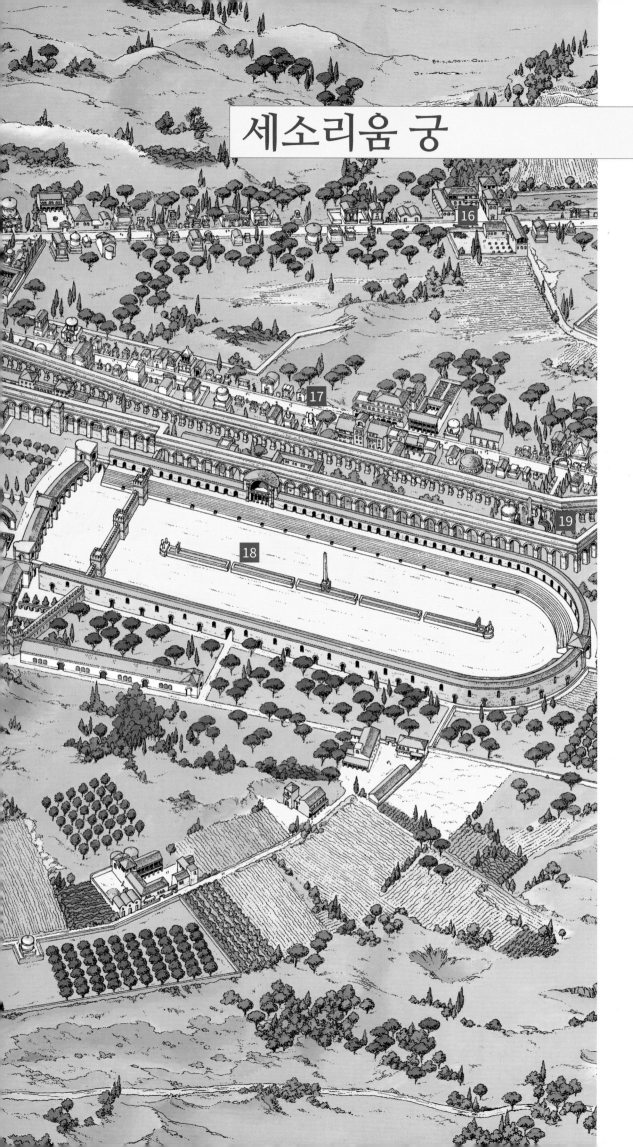

세소리움 궁

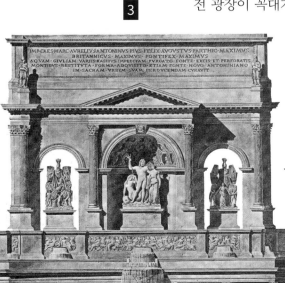

엘라가발루스 황제는 지상의 모든 신성한 존재들이 자기가 믿는 신에게 충성을 표해야 한다고 주장했다. 하지만 높은 탑에서 비처럼 내리는 선물을 받아들고서도 로마 사람들은 이를 갈며 분개했다. 엘라가발루스의 엉뚱한 행동은 근위대 병영 화장실에서 암살당하고 나서야 끝났다.

지금은 그보다 더 권위적인 또다른 신이 태양 신전 안에 버티고 있다. 콘스탄티누스 황제의 어머니 헬레나(Helena) 황후께서 예수가 매달려 죽었다는 십자가를 모셔놓았다. 신전은 나중에 '예루살렘' 성당이 되고 늙은 모후는 세소리움의 절대군주로 군림했다.

이곳은 옛날에 무성한 참나무숲이었다. '쿼르퀘툴라누스'라 부르던 옛 이름은 사라졌지만, 클라우디우스 신전 광장이 꼭대기에 자리잡은 카일리우스 언덕은 요동치는 역사에서 항상 벗어나 있었다. 티베리우스 황제의 치세 때 단 한 번 무서운 화재를 겪었을 뿐이다. 병영이 있고 궁전들도 많지만, 카일리우스 언덕은 높은 클라우디우스 수도교의 그늘 밑에서 거의 예스러운 평온을 지켜왔다. '클리부스 스카우루스' 오르막길 계단을 오르면서 거대한 네로 시장의 노점들을 통과하면 길을 따라 늘어선 점포들은 차츰 드물어진다. 그렇게 걷다 보면 세월이 가면서 묻힌 변두리 성곽에 닿는다. 덩굴에 뒤덮인 높은 성벽 위로 잣나무와 삼나무가 고상하게 하늘을 찌른다. 그윽한 시골 냄새를 풍기는 숲 그늘, 아니키아(Anicia) 가문과 심마쿠스(Symmachus) 가문의 장원과 발레리우스 푸블리콜라의 장원이 짙은 그늘 밑에 숨어 있다.

마르티알리스의 친구 아테디우스 멜리오르의 정원 못 가에 흥미로운 나무 한 그루가 서 있다.

1. 알렉산데르 동굴샘. 알렉산드리나'수도교로 들어온 물을 이곳에서 받는다.

2. 마리우스 승전비. 지금은 카피톨리니 박물관에 있다.

3. 마리우스 승전비가 붙어 있던 마리우스 개선문의 19세기 그림

1. '클리부스 스카우루스' 거리. 옛 모습을 고스란히 간직하고 있다. 지금은 '클리보 디 스카우로'라고 부른다.

2. 카일리우스 언덕의 분위기도 변함없다.

3. 클라우디아 수도교와 카일리몬타나 성문에 붙은 돌라벨라 개선문.

이 나무는 밑동이 휘어져 못의 수면을 건드린다. 시인 스타티우스(Statius)는 목가풍의 이 못으로 반인반수 목신 '판'에게 쫓겨 도망치던 님프가 뛰어들었다고 전한다. 헤엄칠 줄 모르던 판 신은 님프를 잡으려고 나무를 그렇게 비틀었단다. 그러나 판 신은 님프를 사랑했기 때문에 건드리지 못하고 나뭇잎으로 수중의 은신처를 덮기나 했다던가….

낮은 덥다. 가방을 든 처녀 둘이서 다 무너진 옛 제단 터의 이끼 낀 벤치에 앉아 있었다. 가정교사는 유행에 따라 크고 푸른 양산을 들고 처녀들의 뽀얀 뒷덜미에 볕이 들지 않도록 가려준다. 더 어리고 예쁘장한 처녀는 부인들처럼 헝겊으로 얼굴을 두드린다. 그러나 더 나이 들어 보이는 처녀는 가방에서 '최신식' 손수건을 꺼내 얼굴을 두드린다.

처녀들은 사랑 이야기를 즐긴다. 얼굴이 불그죽죽한 늙은 구혼자를 조롱하면서 기혼녀들의 팔자를 한탄하기도 한다. 처녀들의 웃음은 맑게 찰랑대는 메르쿠리우스 샘에 녹아든다.

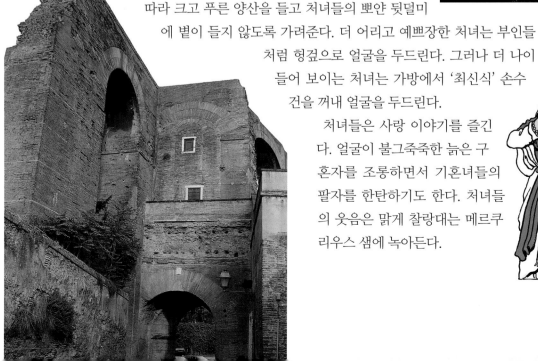

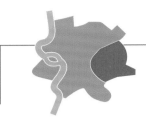

아니키아 가문의 궁 아래쪽으로 꽃다발이 풍성한 숲이 동굴 샘으로 개조된 투박한 신당 주변을 꾸미고 있다.

바위 틈새에서는 맑은 샘물이 솟아난다. 시인 아키우스 입상이 샘물 위에 비친다.

이 주변은 물의 수호여신들인 카메나이 (Camenae)의 신성한 숲이다. 전설로만 남은 까마득한 옛날에, 누마 폼필리우스 왕이 로마 사람들이 유익한 조언을 구하던 샘의 님프인 에게리아 (Egeria)를 찾아 이곳으로 왔다는 이야기가 전해져 내려온다.

여제관들은 매일 이 샘에서 신성한 물을 길어가며, 베스타 신전에 물을 끼얹는다.

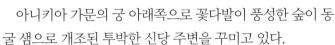

1. 아시나리아 성문

2. 마르쿠스 아우렐리우스 황제 기마상. 지금은 카피톨리니 박물관에 있다. 원래 카일리우스 언덕 위의 그의 생가 입구에 서 있었다.

3. 프라이네스티나 성문. 지금은 마지오레 성문이라고 한다. 두 개의 수도교와 빵집 주인 에우리사케스 (Eurysaces)의 묘를 지지하는 일종의 개선문이었다.

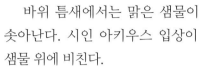

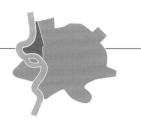

캄푸스 마르티우스

베티우스 루피누스의 집은 얼마나 많은 신의 가호를 받았을까! 신들은 얼마나 로마를 보호하고 또 넘치는 혜택을 주었나! 베티우스는 마침내 다정한 클로에를 해방했다. 게다가 클로에는 나를 따라 보스포로스 해협 너머 내 고향 헤라클레아(Heraclea)로 함께 가기로 했다!

어제 저녁, 클로에는 여름날의 시원한 식당 궁륭 밑에서 우리와 함께 식사했다. 클로에는 수줍고 겸손하게 행복한 표정을 지으면서도, 노예가 키오스 포도주병과 무화과 몇 송이를 들고 나타나자 거북스러워 했다. 주인이 대수롭지 않게 여기던 그녀의 옛 동료였다.

오늘 아침, 우리는 캄푸스 마르티우스(Campus Martius)로 향했다. 산책하는 사람들과 연인들이 가장 좋아하는 길이다. 우리는 염치없이 손을 잡지는 못하고 눈길로만 수많은 이야기를 나누었다. 과거에는 왕의 영지로서 전쟁의 신 마르스에 바친 벌판이자 군사훈련장이었지만, 지금은 관공서 지역이다. 눈부신 공공건물이 들어서고 과거 빈민촌의 불행은 자취를 감췄다. 과거에 시민은 이곳에 모여 투표했다. 또 제국이 시작되면서 이곳에 들어선 기념관과 공원을 찾아오고 노래 콩쿠르로 유명한 음악당이나 다른 세 곳의 극장으로 구경도 다녔다. 시민들은 경기장 층계좌석에 끼어들어 관람을 즐기거나 아그리파 또는 네로 온천장에서 몸을 풀고 운동을 했다. 입상들이 가득 늘어선 주랑 밑에서 빈둥대며 쉴 수도 있었다. 이곳에서 태평한 생활의 즐거움을 누렸다. 연인들도 이곳에서 만나 아그리파 못으로 보트 놀이를 떠났다.

하지만 지금 누가 클로디아의 시대처럼 티베리스 강의 금빛 물속에 뛰어들며 몸을 씻을까? 놀기 좋아하는 미녀 클로디아가 화려한 별장에서 불끈거리는 근육을 다 드러내고 다이빙하는 사내들을 얼마나 감탄하며 바라보았던가? 그래서 클로디아는 가장 매력적인 사내를 데려오라고 보트를 보내 여린 팔로 사내를 끌어안기도 하지 않았나… 이제 소시민들만 마르스 벌판 남쪽의 좁은 강변을 찾는다.

벨로나(Bellona) 신전 주위로 여신을 숭배하는 광신도들이 주문처럼 외워대는 소리가 울려 퍼진다. 과거, 이곳에 모인 원로원위원들 앞에서 종신독재관 술라가 죄수 4,500명의 사형을 명했다.

1. 아폴로 신전

2. 카스토르 형제 석상. 마르스 벌판의 신전에 있었는데 지금은 카피톨리니 박물관에 옮겨놓았다.

벨로나는 절대 만족할 줄 모르는 전쟁의 여신이다. 이 성전 앞의 '벨리카 기념주'는 로마와 싸우던 이방의 여러 나라를 상징한다. 선전포고할 때마다 외교담당 사제가 피에 적신 창을 기둥에 던진다.

　시인 오비디우스는 아우구스투스 황제가 손위 누이 옥타비아(Octavia)를 위해 세운 대리석 주랑의 아름다움을 노래했다. 그로부터 3세기가 지났지만, 그의 노래는 아직도 내 머릿속에서 울린다. 주랑 사이에 깜짝 놀랄만큼 많은 입상이 마치 고대 그리스의 천재적 예술을 열렬히 흠모해 마지않는 듯 줄을 잇는다. 프락시텔레스(Praxiteles)와 피디아스(Phidias)의 베누스, 리시푸스(Lysippus)가 조각한 그라니크(Granicus, 오늘날의 터키비가 카이 강변) 전투에 참전했던 알렉산드로스 대왕과 그의 장군들, 파시텔리스(Pasitelis, BC1세기 그리스 조각가)와 폴리클레이투스(Polycleitus, BC5세기 그리스의 거장)의 작품들이 셀 수도 없이 많다.

　'유노 여신'을 여왕으로, '유피테르 신'을 보호자로 재현한 보석 같은 그림들이 복도를 눈부시게 채운다. 그렇지만 클로에는 이런 신과 영웅의 이미지에 아무런 내색도 하지 않았다. 클로에가 보기에는 그저 돌이나 청동으로 빚은 우상이기 때문이다. 예수는 육신으로 살아있었고, 죽었다 부활했으니 그를 기리기 위한 입상 같은 것은 필요없다. 예수는 신자들의 가슴 속에 살아 있다. 내가 과연 이렇게 이상한 종교를 이해할 날이 올까? 클로에는 내가 기독교를 이해하기를 간절히 바란다. 나도 아예 모르는 것은 아니다.

　비록 유피테르와 베누스가 내 기도를 들어줄지 의심할 때가 없지도 않지만, 다른 사람들처럼 나도 기독교의 샘솟는 빛과 힘을 믿는다면, 우리가 오래전부터 믿어온 신들이 우리 제국을 어두운 구렁텅이로 떨어뜨리지는 않지 않을까?

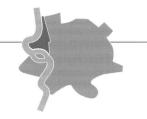

우리가 고유한 우리의 뿌리와 문화를 완전히 없애고도 무사할 수 있을까?

'필리피 주랑(Porticus Philippi)'과 그윽한 정원 뒤로, 작은 발부스 극장으로 통하는 회랑에 청동주물공들이 코린트 전통기법을 더욱 세련되게 다듬은 물건들로 부자 고객을 끌고 있다. 조금 멀리 사방으로 트인 미누키아 주랑이 펼쳐진다. 한 달에 한 번, 금속패에 새겨둔 날짜에 시민 20만 명이 무상배급의 혜택으로 이곳에서 곡물을 받아간다.(가족 당 35kg씩이다) 아우렐리아누스 황제 시대부터 거대한 국립 제빵공방에서 값싼 빵을 직접 각 가정에 배급한다.

폼페이우스 주랑 현관 작은 공간에 설치한 화장실들은 황당할 만큼 사치스러운 편의시설을 갖췄다. 안으로 들어서면 즉시 사방에서 폭포수 소리가 들리고, 벽에서 향기로운 냄새가 풍긴다. 또 참신한 벽화로 장식했다. 그래서 어리둥절하면서 애당초 볼일 보러 들어왔다는 사실조차 잠시 잊는다.

행운의 여신과 벽감을 채운 영웅상들이 지켜보는 가운데 대리석 의자 모양의 변기 스무 개 가량이 세 방향으로 놓여있다. 그 변기 바로 밑으로 작게 비스듬히 패인 재미있는 도랑물이 흐른다. 사람들은 거리낌 없이 서로 팔꿈치를 맞대고 앉아, 날씨와 비 이야기를 나누거나 소탈하게 저녁 초대를 한다. 그렇게 볼일을 보고 나면 막대

1~2. 포르투나 신전과 입상의 현재 모습

3. 샘과 우물의 여신 유투르나 (Juturna)신전

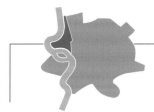

붙은 걸레로 뒤를 닦은 다음 걸레를 도랑에서 깨끗이 빤다.

원로원 집회가 열리던 '폼페이우스 쿠리아'(Curia Pompeia) 회관, 즉 카이사르가 암살당한 건물은 부속극장과 등을 맞댄 거대한 주랑으로 트였다. 그 무렵 제관들은 너무 나른한 공연을 하던 극장의 신축을 금했다.

그러나 폼페이우스는 이런 난관에도 불구하고 층계식 관람석 위에 '승리의 여신 베누스' 신전을 올려 극장을 지었다. 이런 식으로 극장과 신전의 복합건물 전체를 성소로 보아야 한다고 주장했다. 그가 이름지은 '카베아(cavea)'라는 객석은 모두 합쳐 17,580석에 달한다.

사방으로 트이고 문을 붙인 주랑은 극장에서 공연 도중에 거닐 수 있는 휴식공간이다. 울창한 플라타너스 나무들이 건물 양쪽을 둘러싼다. 나무들 밑에 작은 분수들이 줄줄이 놓여 있어 시원하다. 가장 더운 시간에 쉬기 안성맞춤이다. 잔디밭에는 폼페이우스가 정복한 14개 왕국의 상징들이 그의 거대한 입상을 호위한다.

입구에서 안내인이 우리에게 다가와 해설을 들어보라고 제안한다. 여기는 정말 모든 것이 매혹이다! 줄줄이 늘어선 둥근 기둥에 받친 복도에서 파우시아스[Pausias, BC4세기 그리스 화가], 안티필루스[Antiphilus, BC 4세기 그리스 화가] 폴리그노투스[Polygnotus, BC 5세기 그리스 화가]의 그림들이 감탄을 자아낸다.

대단한 멋쟁이지만 경박해 보이는 숙녀들이 산책하는 사람들 사이를 누빈다.

1. 오스티아의 화장실

2. 폼페이우스

3. 폼페이우스 주랑과 극장 구역 복원도

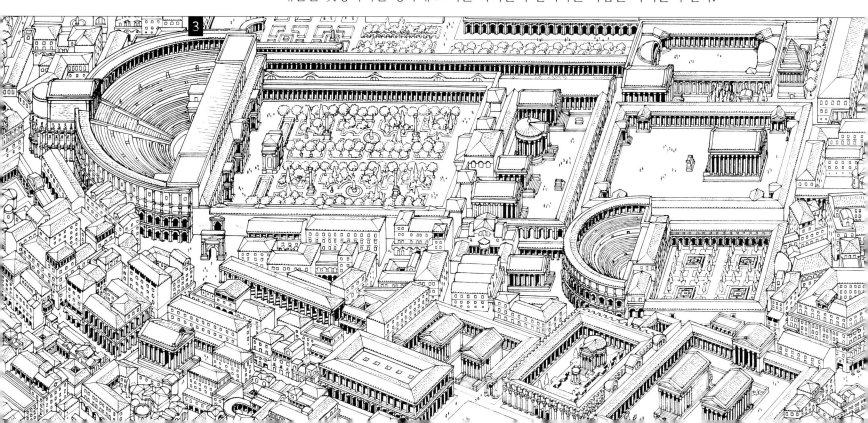

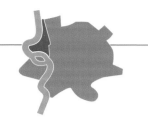

다. 사치스럽고 재기발랄한 여자들인데 종종 돈벌이에 나선다.

풍자시인 유베날리스(Juvenalis)는 이런 여자들 가운데 정숙한 여자는 거의 없다고 했다.

'백원주랑(百圓柱廊)'의 둥근기둥들 사이에 로마 제국 각 민족의 상징들이 줄을 잇는다.

청동상 암곰 한 마리가 큰 입을 벌리고 있지만 보통 사람들은 무관심하다. 하지만 마르티알리스가 전했던 슬픈 재난이야 기억하지 않을까?

"어떤 꼬마가 마치 살아있다는 것을 과시하듯 암곰을 슬슬 놀려대며 장난쳤다. 그러면서 손을 야수의 아가리 속으로 찔러 넣었다. 그런데 청동상 뱃속에 악랄한 살무사가 똬리를 틀고 있었다. 살무사는 괴물 같은 암곰보다 더욱 사납게 꼬마를 물었다. 꼬마가 눈치를 챘을 때는 이미 늦었다."

석양에 더욱 눈부시다는 '사이프타 율리아 주랑'의 매력을 충분히 음미하기에는 너무 이른 시간이었다. 골동품애호가들이 골동품상에서 전시 판매하는 물건을 놓치지 않으려고 이곳에 몰려들었다.

나는 비베리우스 메로를 다시 만나 조금 놀랐다. 운 좋게 여로를 함께 했던 사람이다. 메로는 마치 홀린 듯 물건들을 살펴보고 금세 평가하고 나서 값을 깐깐히 흥정했다. 이곳에서는 기본적으로 남자들만 만난다. 번거로운 물건구매는 남편이 해야 할 일이다. 그래도 멋쟁이 숙녀들은 해묵은 풍습대로 고급비단과 귀한 직물상인들을 보

1. 넵투누스 성전은 아그리파 온천장과 판테온을 연결한다.

2. 판테온 내부. 옛 판화.

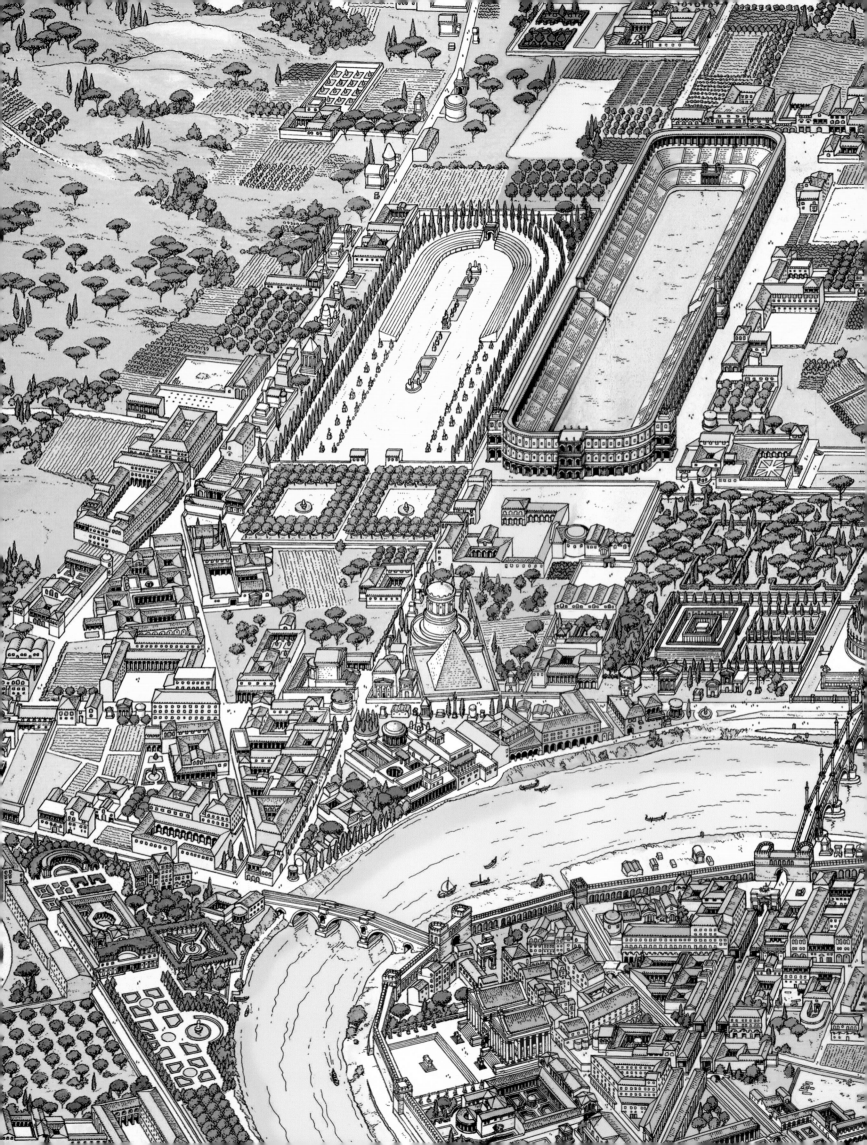

채소밭

트라야누스
모의해전훈련장

비아 트리움팔리스?

가이아눔 전차훈련장

전차경주선수
입상

바 티

브루티아누스 벌판?

도 미 티

'네로'의 테레빈트
(테레빈 나무)

화장터?

로물루스 석비
(로물루스 묘로 추정,
바티칸 피라미드)

아일리우스

기독교도묘소   코르넬리아
성문

아그리피나 궁   네로 다리

그라티아누스 &
발렌티니아누스 II &
테오도시우스 I 개선문

테오도시우스
& 오노리우스
개선문

드루수스
&
실리우스
정원

지하의 신,
디스 파테르
신전

15인
제관조합

프로세르피나 신전

타렌툼 구

디스 파테르 &
프로세르피나 제단

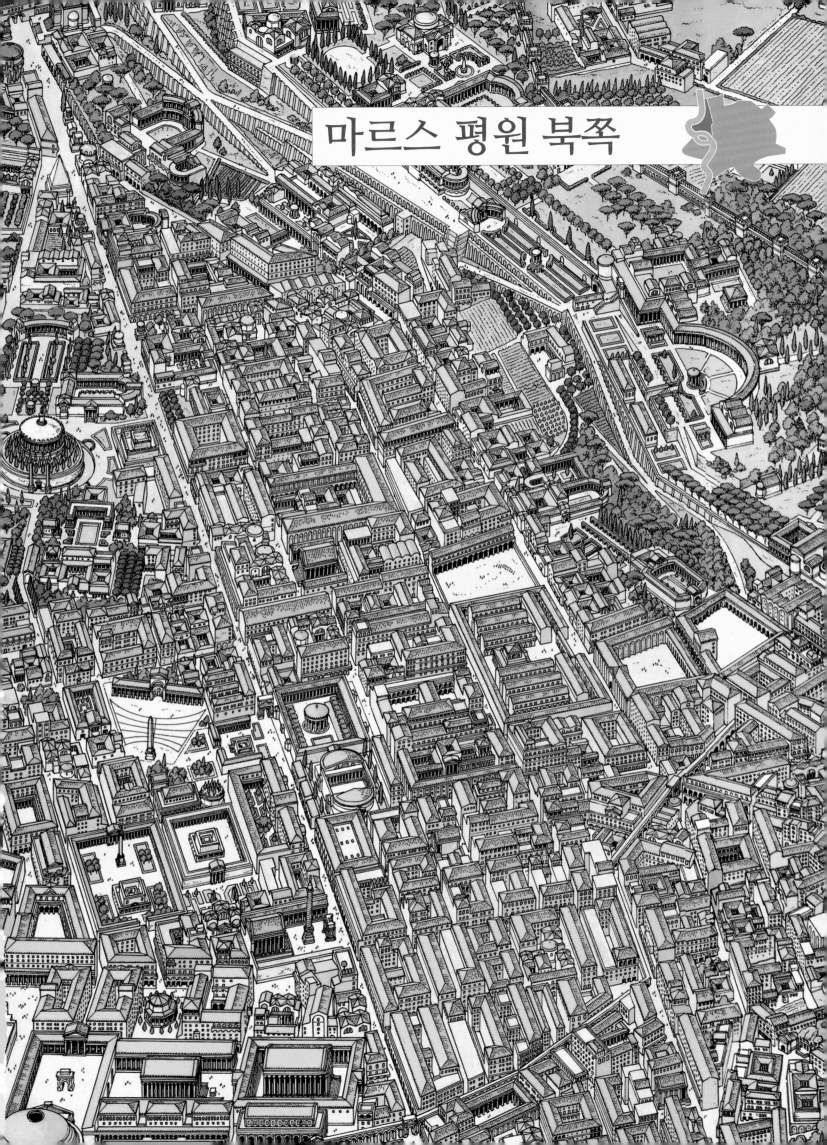

아퀼리우스 레굴루스 정원?

A. 호르텐시우스
루키아누스 저택

채소밭

아우렐리아누스 방벽

센티아 저택
(아우구스투스의 장모)

나루터

칸   벌 판

도미티아 궁
도미티아누스 마누라 여제

아   정   원

C. 파시에누스
그리스푸스
저택

아비
빈디카

드리아누스
영묘

정원

C. 파시에누스 크리스푸스 주랑
(44년의 집정관)

나루터

마르스
신전?

나루터

티베리스 강

아우구스투스 황제,
로마와 제국 국민의
원로원에 바친 제단

대리석 하역장

나루터   헤르쿨루스
신전

포도주 선착장
아우렐리아누스 방벽

포도주 하역장

포도주 항아리 시장?

도미티아
비밀성문

캄 푸 스   마 르 티 우 스   벌 판

아우렐리
텔레스포루

비아 렉타?

T. 클라우디우스
카이사르 아우구스투스
게르마니쿠스 저택

대리석 작업장

도미티아누스
경기장

네로 온천장

플라미니아 성문
(훗날 포폴로 성문)

네로 묘소

도미티아
가문의 정원

핀키우스
가문 저택

우오펠리우스 방벽

핀키우스
정원

화원 언덕

비아 플라미니아

아메티스투스
드루수스 카이사르
저택

샘터

M. 발레리우스 메살라
코르비누스 저택

T. 섹스티우스
아프리카누스 저택
(59년의 집정관)

실바누스
신당?

7황제?

아우구스투스
영묘

아우구스투스
저택의 화장터

폼페이우스
저택?

영묘첨탑

라르구스 정원

라르구스 저택?

포르투나 또는
스페스 신전?

시(市)치안대

포룸
수아리움

태양주랑

베스파시아누스
& 하드리아누스
경계비

아우구스투스
해시계

하드리아누스
개선문

태양신전

미트라 신당

해시계바늘

평화의
제단

비쿠스 미네르비?

마르쿠스
아우렐리우스 화장터

신중의 여신
프루덴시아
제단?

클로드 개선문

경건제
안토니누스
화장터와
기념주

파우스티나
미노르 제단

비르고 수도교

파우스티나
마요르 제단

L. 셉티미우스
아드라투스 저택

마르쿠스
아우렐리우스
기념주

마르쿠스
아우렐리우스
신당

아그리파 캄푸스

비쿠스 카로라리우스

제9구
야경대 초소

C. & L. 카이사르
비석과 님프샘터

유피테르
님프샘터

티리다테스
마굿간?

마티디아 대회당

하드리아누스
신전

비르고 수도교

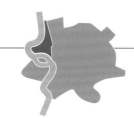

이집트에서 가져온 첨탑 '오벨리스크'들은 마르스 벌판에 있던 이시스와 세라피스 신전을 장식했다. 이시스는 여자와 사랑의 여신이다.

덩치 큰 비베리우스 메로는 나를 미처 보지 못했다. 메로는 모든 것을 아는 척하고 어떻게든 둘러대며 허풍을 부리는 상인에게 붙잡혀 한눈 팔 시간이 없었다.

아그리파가 아우구스투스 황제 밑에서 장관으로 일할 때 주문해 그린 주랑 깊은 곳의 벽화, 이아손과 아르고노트 족의 모험도 대부분 사람은 그냥 지나친다. 걸작 조각 「아킬레우스와 키론[반인반수족의 현자로 아킬레우스의 스승]」도 지금은 낙서에 뒤덮였다.

아르고노트 벽화 맞은편에 멜레아게르(Meleager) 주랑 밑에 비바람을 피할 수 있는 자리에서 고급 노예를 사들일 수 있다. 젊은이들은 아우구스투스 황제가 좋아했던 '파르 임파르(par impar)' 놀이에 열중한다. 손안에 쥐고 있는 골편이 홀수인지 짝수인지 알아맞히며 내기를 거는 놀이다. 또다른 젊은이들은 상대방이 내미는 손가락을 알아맞히는 놀이에 혼을 빼고 있다. 저쪽에서는 땅바닥에 격자무늬를 그려나가며 병정놀이[몸으로 말을 대신하는 장기식 보드게임]를 즉석에서 즐긴다. 광장을 어슬렁대며 행인들을 곁눈질하는 자들도 있다. 그중 한 놈이 클로에의 엉덩이를 사나운 눈초리로 더듬었다,

율리우스 카이사르가 살아 돌아오더라도 자신이 유권자를 모집하려고 세운 이 넓은 담장에 둘러싸인 장소를 더는 알아보지 못하는 것이 아닐까. 이제 투표는 더 이상 하지 않는다. 투표장 터였던 '사이프타 율리아 주랑'은 큰 장터로 변했고, 때때로 검투사들이 격투기를 벌이기도 한다. 극단패들도 가설무대를 세우고 케케묵은 익살광대극을 벌인다. 수상쩍기도 한 이상한 취미의 노골적인 풍자극이다. 어쨌든 매우 인기를 끈다.

우리는 이곳을 벗어나 클라우디우스 황제가 개선문으로 바꿔버린 '비르고' 저수조의 무지개다리 밑으로 빠져나갔다. 물이 여전히 흘러들어 길바닥이 미끄럽다. 어느 날인가 이곳에 짙은 안개가 끼었는데, 커다란 얼음덩어리가 수도교 위에서 떨어져 가엾게도 그 밑을 지나던 사람의 목을 꿰뚫었다고 한다.

사방으로 문이 뚫린 커다란 홍예문 '콰드리프론스'('야누스' 문이라고도 한다.)는 이시스 신과 세라피스 신을 모신 신전으로 통하는 문이다. 로마 시내에서 가장 중요한 이집트 성소다. 입구 양쪽의 탑문들에 들어서면 스핑크스들과 첨탑들이 늘어선 긴 해자가 성소까지 이어진다. 악어상, 원숭이상들이 서 있는데 대부분 파라오 시대의 것들이다. 또 파피루스 형태의 굵은 원주들은 강렬한 이국의 분위기를 풍긴다. 마치 나일 강 변에 들어선 기분마저 든다. 이집트에서 해마다 이시스 여신은 실종된 오시리스의 사지를 찾는 오랜 탐

MAGRIPPALFCOSTERTIVMFECIT

1,2,3. 판테온의
여러 모습들

문을 한다. 그다음에 그의 부활을 경축하는 열렬한 축제를 벌인다.

마르스 벌판을 개발했던 집정관 아그리파는 훈련장들을 덧붙인 대온천장들을 처음으로 만들었다. 로마 사람들은 건강을 위해서든 단순히 오락으로든 운동을 매우 좋아한다. 그래서 온천장에서 보통 몇 시간씩 머문다. 아그리파 온천장은 비록 나중에 다른 황제들이 지은 온천장들이나 시내의 대중탕들보다 규모가 작아 보이지만, 가장 편의시설이 뛰어나고 사치스럽다. 그릴루스 온천장들은 어두침침하고, 루푸스 온천장들은 사방이 트여 바람이 들이친다. 또 포르투나투스 온천장들은 방탕하고 염치없는 손님들이 득실댄다. 걸작 그리스 조각들이 눈부시게 내려다보는 가운데 맑은 물로 뛰어들 수 있는 아그리파 온천장만 한 곳은 없다.

인기가 대단했던 리시푸스의 석상 「때 미는 사람」을 티베리우스 황제는 유난히 좋아했다. 그래서 황제는 이 걸작을 자기 방에 옮겨 놓지 못해 안달했다. 하지만 극장에서 공연이 있던 어느 날, 대중이 너무 강하게 항의하는 바람에 황제는 뜻을 이루지 못했다.

흘러내리는 땀을 닦으며 물속으로 즐겁게 뛰어들다가 나는 아그리파 못 가에 서 있는 전설 속의 양치는 처녀 클로에의 상을 보았다. 이곳은 옛날에 습지였지만 인공호수로 개조했다. 작은 회양목을 두른 고운 잔디밭에 둘러싸였다, 이곳에서 네로 황제가 잊지 못할 심야축제를 벌였다. 참석자마다 머리에 화관을 쓰고 화류계 여자들의 시중을 받았다. 또 요리를 실은 뗏목 위에서 횃불을 밝히고 한바탕 놀이판을 벌였다. 모두들 뜨겁게 달아오른 밤의 열기 속에서 울려대는 이집트 피리 소리에 홀렸다. 그렇게 취흥에 젖은 몇몇 사람은 물속으로 뛰어들기도 했다. 붉게 물든 강기슭 숲속에서 나뒹굴며 재미를 보았다. 혹 덤불들도 여전히 그 기억들을 잊지 못하고 있는 것은 아닐까!

2

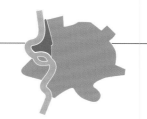

이곳에서 연인들은 활짝 핀 월계수 밑에서 만난다. 처녀들은 쪽배를 타고 달달 외워둔 메난데르(Menander)의 시를 읊는다. 어쨌든 그리스어로 노래했다. 그래야 더 멋져 보일 테니까.

공원에 무성한 나뭇잎을 헤치고 한동안 전진하다 보면 네로 온천장의 큰 유리창들이 나타난다. 하지만 이곳에 너무 일찍, 아침에 문을 열자마자 들어가서는 안 된다. 그 시간에는 갓 물을 뎁혀서 너무 뜨겁기 때문이다.

아그리파는 집정관으로서, 또 아우구스투스 황제의 사위로서 만신전 판테온을 짓고 황가와 관련된 모든 신을 모셨다. 하드리아누스 황제는 뒤쪽에 둥근 궁룽을 모방해 거대한 해신 넵투누스(Neptunus)의 신전을 재건했다. 넵투누스 신전은 그리스에 조금도 빚지지 않은 로마 최초의 독창적 예술을 한껏 보여준다. 이곳을 찾은 사람들이 둥근 천장 밑에서 하늘을 우러러보며 행복한 영감에 취하는 새로운 성소다.

나는 문간 작은 방을 거쳐 육중한 청동문을 밀고 초자연의 신성한 세계로 접어들었다. 세계에서 가장 거대하고 어마어마한 둥근 천장 밑에 선 우리는 얼마나 작은가! (지붕의 지름은 약 43m) 꼭대기의 트인 공간에서 한 줄기 빛이 둥근 벽면을 태양의 움직임에 따라 천천히 쓰다듬는다. 마치 우리가 천구의 중심에서 둥둥 떠다니는 기분이다. 우리의 신들을 가장 열렬히 숭배하는 이곳에서, 클로에조차 감동에 휩싸여 내 손을 잡았다.

도미티아누스 경기장 너머에서 대리석을 깨는 석공의 망치질 소리가 들린다. 마르스 벌판에서 제일 사람들이 적게 드나드는 곳인데, 석공들은 흰 대리석 덩어리들로 신축 건물에 들어갈 수많은 둥근 기둥들을 깎는다. 그리스의 유명한 석상들을 그대로 모방하는 석공들도 있다. 이렇게 만든 석상으로 수많은 공원을 꾸민다.

더 남쪽에는 전차경주단이 있다. 청군, 백군, 홍군, 녹군 소속 단원마다 각자의 훈련장과 마구간, 그리고 공방을 갖췄다.

바로 그 곁, 티베리스 강 남쪽 기슭의 과거 병기고 터에 창고 50칸이 줄지어 남아 있다. '나발리아' 조선소다. 옛날에 5단 노를 젓는 노예선을 수리하는 건선거로 사용하다가 이후 야수를 가두어두는 우리로도 사용했다. 요즘에는 진품이라는 트로이의 영웅 '아이네아스(Aeneas)'의 배를 전시하고 있다.

4, 5. 판테온 내부. 햇살이 둥근 천장을 비추며 움직여 마치 천장이 자전한다는 인상을 준다. 보통 '쿠폴라'라고 부르는 어떤 둥근 지붕도 판테온의 규모에 미치지 못한다.

'타렌툼'에 관한 흥미로운 전설이 돌고 있다. 그 신전들 앞에 '디스 파테르(지옥의 신 플루토 Pluto)'의 제단들이 서 있다. 사비나의 부유한 농민의 자녀들이 병에 걸렸다. 그 농민은 디스 파테르와 프로세르피나(Proserpina)의 제단에 온천수를 바치면 낫게 해주겠다는 어떤 신의 목소리를 들었다.

그래서 농민은 아이들을 데리고 티베리스 나루터로 내려가 바다로 나가려고 했다. 그런데 신들이 마르스 벌판에서 그들을 붙들더니, 플루토 왕국으로 들어가는 타렌툼이라는 소용돌이가 바로 가까운 물가에 있다고 알려주었다. 농민은 더 멀리 가지 않고 그 물을 길어다 바쳤고, 아이들은 무사히 완치되었다고 한다.

해가 기울고 그림자가 길게 늘어지기 시작했다. 그노몬의 첨탑이 해시계 노릇을 하면서 대리석 바닥의 청동선에 12시를 알렸다. 어쩌면 이렇게 정확할까! 아우구스투스 숲의 나무들이 아이올루스의 산들바람에 몸을 떤다. 클로에를 보니, 찬란한 태양의 뜨거운 광채에 역광을 받으며 평화의 제단 '아라 파키스'를 둘러싼 주랑의 어스름 속으로 사라지고 있었다.

야누스 신전의 문들을 폐쇄하고 나서, 제국의 기반을 닦은 아우구스투스 황제는 다시 찾은 평화에 바치는 대리석 제단을 세웠다. 2백 년 동안 태평성대 속에 살았다! 제단을 장식한 저 부조들은 라틴 조각의 두말 할 나위 없는 걸작이다. 군주 일가에 대한 영광 찬가다.

평화의 제단은 고대 에트루리아의 묘를 모방해 지은 거대한 영묘인데, 판테온과 함께, 아우구스투스 황제의 태평성대를 이어가려는 의지를 만천하에 보여준다.

'비아 클라미니아'는 혼잡하다. 그 곁에 서 있는 비프사니아 주랑 건물은 시대에

1. 아우구스티누스
   해시계 첨탑
2,3. 하드리아누스
   신전

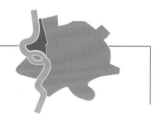

4. 마르쿠스 아우렐리우스
기념주는 트라야누스
기념주를 모방했다.
저부조에 황제가 야만족을
정벌한 힘겨운 원정의
일화를 새겼다.

5. 아우구스투스
황제의 영묘

6. 평화의 제단, 팍스 로마나.
(로마문명박물관의 모조품)

7. 플라미니아
성문(저자의 스케치)

뒤떨어져 보인다. 몇몇 서기들만이 이곳에서 오전에 일한다. 아무튼, 이곳에 놀랍게 큰 세계전도가 있다. 아그리파 집정관의 지휘로 제작된 둥근 지도다.

비르고 수도교 뒤편에 시 경비대 병영과 수아리움 포룸이 자리 잡고 있다. 여기에서 돼지고기를 무상배급한다. 바티칸 동산 너머로 붉은 해가 지고 언덕에 붙은 정원들은 하루를 열광으로 마감하는 찬란한 금빛에 물든다. 그러고 나면 차츰 로마의 불안한 밤이 찾아온다.

마르켈루스 극장

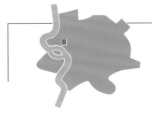

햇 살에 계단좌석이 뜨겁게 달아오르자 관중들은 못 견뎌 했다. 나도 양산을 펼쳐 클로에를 막아주었지만, 뒤에 있던 관중이 불편해 하면서 상스럽게 소리쳤다. 그렇게 뒤에서 노발대발하며 관중의 눈길까지 끌어모으는 통에 나도 별수 없이 양보했다.

새벽부터 자리를 잡고 앉아있던 사람들도 있다. 이들은 주먹다짐까지 하면서 자리를 지킨다. 덥고 피곤한 사람들은 졸기도 한다. 또 소풍 온 듯 도시락을 펼쳐놓은 사람들도 있다. 식초 섞인 양념과 소금 절인 향긋한 멸치 냄새가 객석에 퍼진다. 소박한 분위기로 극장은 활기를 띤다.

그러나 차츰 이야깃거리가 떨어지면, 관객은 꿈쩍하지 않는 무대막을 쳐다보면서 농담을 터트린다. 특권층은 공연이 시작하기 직전에 도착해 무대 전열의 예약석을 찾아가 앉는다. 모두가 계속 꿈쩍 않는 막이 오르기만 기다린다. 배우들이 늦게 도착하자 관객은 손바닥을 두드리거나 욕설을 해대면서 불평한다. 이들을 진정시키려고 관객 머리 위로 볕가리개를 펼쳐준다.

오늘 공연은 무슨 작품일까? 사람들을 졸게나 만드는 따분한 그리스 비극은 아니다. 그런 작품은 교양 있는 관객의 사저에서나 공연한다. 세네카의 비극들은 오랫동안 라틴 비극 가운데 가장 고상하다 여겨졌지만, 우리 관객을 사로잡기에는 너무 산만하다.

테렌티우스(Terentius) 의 해묵은 희극도 마찬가지다. 그의 「장모님」(헤키라 Hecyra) 공연 때, 1막에서 벌써 관객 모두 자리를 비우고 곡마단 구경을 하러 가버렸다. 플라우투스(Plautus)라도 웃지 않을 정도였다….

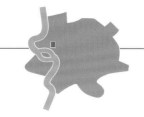

사람들은 이제 더는 민망하기 짝이 없는 무언극에 환호하지 않는다. 관중은 아이를 낳는 여자를 거침없이 보여주거나 조잡한 물건 더미가 미로처럼 얽힌 곳에서 황소가 튀어나오는 구경거리에 질색한다. 이런 촌극에서 배우들은 가면을 쓰지 않은 채 연기한다. 광대들은 방귀를 뀌고 트림을 하며, 외설스런 몸짓으로 떠든다. 종종 어디에서 왔는지 알 수 없고, 그리스 말귀도 못 알아들으며, 라틴어도 모르고 횡설수설하는 사람들이나 배꼽을 잡을 뿐이다. 태고의 어두운 숲에서 나온 거친 전사들에게 어떻게 에우리피데스(Euripides)의 세련된 감각을 전할 수 있을까!

그러나 관중들이 특수효과로 연출하는 피에 젖은 극과 풍부한 대사를 재미없어하지는 않는다. 극의 구성도 단순하다. 대사를 최소화하고, 배우들이 소박한 예복으로 분장한 만큼 금세 극중 인물을 알아볼 수 있다. 연출은 직업극단이 능란하게 준비한다. 남자들이 여자 역을 맡아 한다. 밝은 가면은 여자, 짙은 가면은 남자, 흰옷은 노인, 망토는 병사, 자주색 옷은 부자, 붉은 옷은 가난뱅이를 나타낸다. 이런 광대극 제작자는 어리숙한 관객들을 끌어모아 흥행이 성공해야 보수를 받는다…

'무키우스 스카이볼라'의 영웅담을 극화한 작품은 실패하는 법이 거의 없다. 특히 종막에서 주인공이 포르세나를 죽이겠다 맹세했지만 목표를 착각하는 장면에서 관

1. 마르켈루스 극장과 벨부스 극장 구역. 발부스 극장의 객석은 11,510이다.

2. 마르켈루스 극장의 모형. 1만 5천-2만 명의 관중을 수용했다. (로마문명박물관)

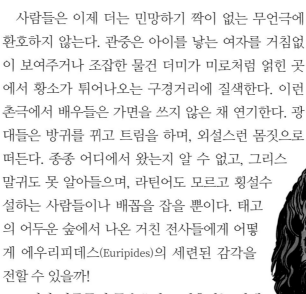

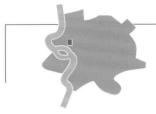

중은 크게 공감한다. 주인공은 오른손을 아궁이에 넣어 지지고, 또 목표를 어긋나게 만든 왼손으로 맹세한다. 이런 비극적인 마지막 장면 직전에 연출가가 주인공을 노예로 바꿔치기했다. 노예는 태연하게 불에 타는 고통을 견딘다면 해방해주겠다는 약속받고 출연했다. 허구로 꾸민 연기만으

로는 부족하고, 피를 흘리며 실감이 나는 연기가 필요하기 때문이다. 관중은 바로 이런 것을 기다린다. 거기에 관능적인 춤꾼들을 곁들인다면 그보다 더 좋아할 수 없다!

관중의 야유와 휘파람 소리가 여기저기서 터진다. 마침내 막이 내리고 나서야 따분했었다는 생각이 들었다. 주제는 조금도 독창성이 없다. 메르쿠리우스 역을 맡은 배우가 밧줄을 타고 허공에서 내려왔을 때, 너무 겁을 먹고 떠는 바람에 조수가 웃음을 터트리고 말았다. 또 뇌우를 터트리는 기계가 망가져서 사람들은 무대 밑에서 엇비슷한 효과음을 내려고 냄비에 돌을 집어던졌다! 유령들은 사라지고, 신들은 섬광 사이로 등장했다. 게다가 극적 장면마다 강조하느라고 요란하게 과장하는 음악은 대체 뭔가! 너무했다! 박수부대가 법석을 떨었지만 젊은 주연배우가 나타나고 나서야 관객의 야유도 가라앉았으니….

1. 오스티아 극장

2. 배우 입상
(로마국립박물관)

3. 연주자
(바티칸박물관)

주인공은 요소요소에서 연기를 잘 한 편이다. 각본은 형편없지만, 주인공은 힘찬 목소리로 웅변 같은 극적 효과를 끌어내고 목소리로 개성을 잘 표현했다. 젊은 주인공을 관중은 잘 알고 또 기대했다. 주연은 꽤 괜찮은 광대다. 법에 비춘다면 그를 "파렴치하다"고 하지 않을까?

하지만 그는 '스타'였다. 그에 열광하는 팬들이 기립박수를 쳐주었다. 유명한 전차경주 기수나 검투사조차 그렇게 뜨거운 인기를 누리지는 못하리라.

이만한 인기를 유지하려고 주연배우들은 엄청나게 노력했다. 밤낮없이 인간의 본성을 더 잘 이해하기 위해 힘겹게 연습했다. 멋지고 유연한 근육과 몸매를 유지하려고 식사도 엄격히 절제했다. 그가 이렇게 성공만 한다면, 작품이야 뭐가 중요할까!

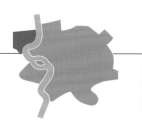

로마여 안녕!

로 마여 안녕! 클로에가 말을 잘 탈 수 있을까 걱정했지만 기우였다. 클로에는 금세 뛰어난 기수처럼 적응했다. 우리는 켄툼 켈라이 항구(오늘날의 치비타베키아)에서 제국의 범선을 타고 해신의 뜻대로 보스포로스까지 건너가야 한다. 나는 황제의 밀명이 담긴 지갑을 겉옷 속에 숨겼다. 네로 다리 쪽에서 천둥이 울렸다. 달마티우스의 기병대가 북쪽으로 올라가는 것이 보였다. 기독교 신자들을 평화로이 살게 하려면, 리키니우스와 전쟁이 불가피할까?

우리는 아우렐리아 길을 따라가다가 시간 여유가 있어 하드리아누스 황제의 영묘를 들러보았다. 영묘는 아일리우스 다리 끝, 장엄한 열주에 받혀진 제국의 마차상 밑에 대리석 봉분을 높이 올렸다. 공작문양들을 붙인 청동 울타리를 경계로 도미티아 정원에 둘러싸였다. 공원은 원래 네로 황제의 고모 도미티아의 땅이었다. 도미티아의 남편, 즉 네로의 고모부로서 당대 최고의 권세가 파시에누스 크리스푸스는 정원에 너도밤나무를 심고 술판을 벌였다. 그러나 네로 황제는 정원을 차지하고 싶어 했다. 고모가 병들자, 네로 황제는 과감한 숙청을 벌여 결국 정원을 손에 넣었다.

아그리피나(Agrippina) 정원은 도미티아 정원까지 포함해 바티칸 전체를 덮는다. 코르넬리아 길가의 묘지는 폐허가 된 원형경기장을 따라 이어진다. 아그리피나의 아들 네로 황제가 로마에 불을 질렀다는 의심을 받게 되자, 되레 기독교도의 짓이라며 이들을 고발해 십자가형에 처했던 바로 그 묘지다. 어둠이 깔렸을 때 십자가에 매달린 사람들에게 불을 놓았다. 불빛으로 원형경기장을 밝히는 조명으로 삼았다는 이야기도 있다. 네로는 언제까지 비난받을까? 원형경기장 중앙분리대에는 장밋빛 이집트 첨탑이 네로의 잔인함을 목격한 최후의 증인처럼 홀로 서 있다. 가시덤불에 파묻힌 경주로 한복판에서….

클로에는 묘지로 들어가 사제 베드로의 묘 앞에 무릎 꿇어 예를 올리고 돌아왔다. 서글픔에 젖은 침울한 눈빛이었다. 그곳에 모인 많은 기독교 신자가 중얼대는 소리가 들렸다. 콘스탄티누스 황제께서 베드로의 묘지 위에 거대한 성당을 지을 계획이라고….[현 바티칸 대성당 터를 말한다]

길가로 화려한 별장이나 수수한 텃밭이 딸린 숲이 계속 이어진다. 큰 벽돌공장들을 지나면서 나는 마지막으로 영원의 도시를 돌아보았다. 아지랑이 속에 차츰 희미해지는 로마를! 천 년도 넘게 유지한 그토록 막강한 힘이 다해가고 있지 않은가. 얼마나 위대한 힘이었나! 신들께서 로마를 거대한 박물관으로나마 지켜주실까? 아니면 시멘트 공장에 들어갈 돌이나 캐는 채석장으로 남겨두실까?

아일리우스 다리와
하드리아누스
황제의 영묘.
지금은 산탄젤로
성이라고 한다.

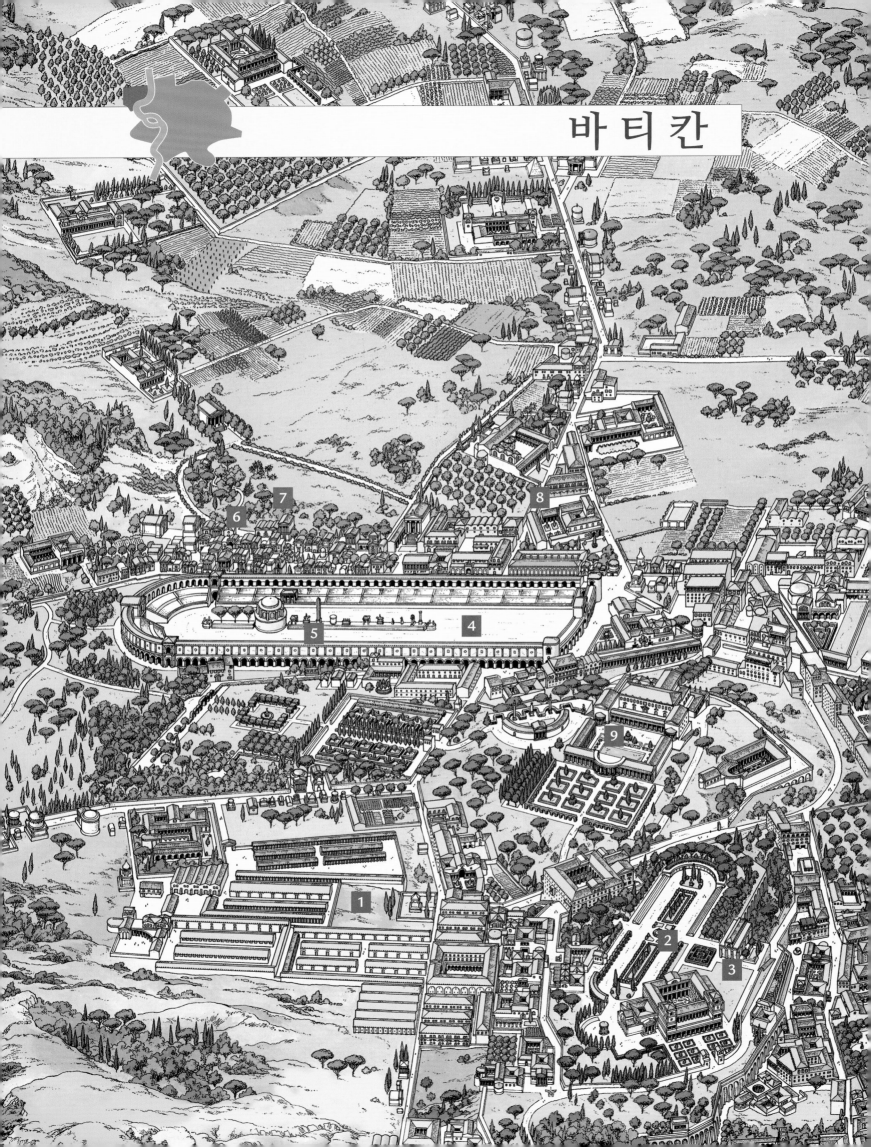

바티칸

1. 벽돌공장

2. 율리우스
마르티알리스 장원

3. 아쿠아 트라야나 저수장

4. 칼리굴라와 네로의
원형경기장

5. 바티칸 '오벨리스크' 첨탑

6. 비아 코르넬리아의 묘지

7. 키벨레 신전
(여제관 관사 '프리기아눔').

8. 비아 프리움팔리스

9. 아그리피나 궁

10. 드루수스 정원

11. 네로 다리

12. 로물리 비석
(로물루스 묘로 추정)

13. 네로 영묘

14. 전차경기훈련장

15. 트라야누스 황제의
해전모의훈련장

16. 도미티아 궁과 정원

17. 하드리아누스 영묘.

18. 파시에누스
크리스푸스 저택

19. 채소밭

20. 아일리우스 다리

21. 타렌툼

22, 23. 디스 파테르 신전과
포르세르피나 신전

옆의 작은 그림.
하드리아누스 황제
영묘. 뷜만의 판화.

연대표

참고문헌

여기에 열거한 책들이 없었다면 고대 로마로 집집마다 찾아 거슬러 올라갈 엄두를 내지 못했을 것이다. 앞으로 새로 발굴이 이어지면 이 책에 해놓은 작업에서도 쓸데없어질 부분이 나올 것이다. 최근 역사가들의 탐구를 20세기 초에 폴 비고가 만든 모형과 비교할 때마다 너무나 다른 모습에 역사가 얼마나 덧없는지 새삼 놀란다. 하지만, 아무렴 어떠랴. 역사가, 고고학자, 먼 옛날의 저자들과 함께 할 수 있었다는 것만으로도 다행이다. 열 살 때부터 품은 엉뚱한 꿈을 이루도록 도와준 분들이기 때문이다. 우리가 지금 알게 된 대로 기념비적인 로마의 전성기를 재구성해보려던 꿈이다!

참고한 고전들 :

• CICERON, Œuvres diverses.
• JUVENAL, Satires.
• MARTIAL, Epigrammes.
• OVIDE, Les Amours.
• PLAUTE, Théâtre.
• PLINE, Correspondance et Epîtres.
• PLUTARQUE, Vies parallèles.
• PROPERCE, Elégies.
• SENEQUE, Œuvres diverses.
• SUETONE, Les douze Césars.
• TACITE, Annales et Histoires.
• 111 E-UVE, Histoire romaine.

참고문헌 :

• GRAND ATLAS DE L'ARCHEOLOGIE, Encyclopaedia Universalis, 1985.
• GRAND ATLAS DE L'ARCHITECTURE, Encyclopaedia Universalis, 1985.
• GRAND ATLAS DES REUGIONS, Encyclopaedia Universalis, 1985.
• CRYPTA BALBI, Museo Nazionale Romano, Electa, 2000.
• POMPEI, Envoi des architectes français au XIX' siècle, Ecole nationale supérieure des beaux-arts, Paris, 1985.
• ROMA ANTIQUA, Envoi des architectes français au XIXe siècle, Ecole nationale supérieure des beaux-arts, Paris, 1985.
• ROME RESSUSCITEE, Plon, 1963.
• LA VILLE DE ROME SOUS L'EMPIRE, Nouvelles connaissances, nouvelles réfections, Pallas ; Presses universitaires du Mirail, 2001.
• P. ANDREAE, L'Art de l'ancienne Rome, Mazenod, 1973.
• T. ASHBY, The Aqueducts of ancient Rome, Oxford, 1930.
• A. BERNET, Les Gladiateurs, Perrin, 2002.
• P. BIGOT, La Rome antique au W siècle, Vincent-Fréal, 1955.
• G. CARETTONI, A-M. COUNI, L COZZA, G. GATTI, La pianta marmorea di Roma antica, Rome, 1960.
• J. CARCOPINO, La vie quotidienne à Rome à l'apogée de l'Empire, Hachette, 1939.
• A.-C. CARPICECI, Rome il y a 2000 ans, Bonechi, 1981.
• G. CHAILLET, en collaboration avec J. MARTIN, Rome I et II, Collection « les voyages d'Alix », Casterman.
• F. COARELU, Guida archeologica di Roma, Mondadori, 1989.
• F. COARELU, Guide archéologique de Rome, Nouvelle édition mise à jour. Hachette, 1994. CORDELO, Guide des fouilles d'Ostie, Storti, 1983.
• T. CORNELLJ. MATTHEW5, Atlas du monde romain, Nathan, 1984.
• H. FINSEN, La résidence de Domitien sur le Palatin, 1969.
• J-C. FREDOUILLE, Dictionnaire de la civilisation romaine, Larousse, 1968.
• J. GIONO, F. MARCEAU, G. PILLEMENT, P. MOLINARD, Rome que j'aime, Sun, 1958.

• M. GRANT, Le Forum romain, Hachette, 1971.
• M. GRANT, Cités du Vésuve, Hachette, 1971.
• A. GRENIER, Le Génie romain, Collection « Évolution de l'humanité », Albin Michel, 1969.
• P. GRIMAL, La vie à Rome dans l'antiquité, Collection « Que sais-je ? » P.U.F., 1960.
• P. GRIMAL, La Civilisation romaine, Arthaud, 1960.
• P. GRIMAL, Le Siècle d'Auguste, Collection « Que sais-je ? » P.U.F., 1961.
• P. GRIMAL, Nous partons pour Rome, P.U.F., 1962.
• P. GRIMAL, L'amour à Rome, Hachette, I963.
• P. GRIMAL, Lesjardins romains ; essai sur le naturalisme romain, P.U.F., 1969.
• P. GROS, L'Architecture romaine I et II, Picard, 1996 et 2001.
• G. HACQUARD, Guide romain antique, Hachette, 1952.
• M. HADAS, La Rome impériale, Time inc., 1966.
• L HOMO, Rome impériale et l'urbanisme dans l'antiquité. Collection « Evolution de l'humanité ». Albin Michel, 1951,1971.
• H. JORDAN, Forma Urbis Romae, Berlin, 1874.
• H. KAHLER, Rome et son empire, Collection « l'Art dans le monde ». Albin Michel, 1962.
• R. LANCIANI, La pianta di Roma antica, Rome, 1893.
• B. LANÇON, Rome dans l'antiquité tardive, Hachette, I995.
• J. LEGALL, Le Tibre, fleuve de Rome, dans l'antiquité. P.U.F., 1953.
• G. LUGLI, I monumenti antichi di Roma e suburbio. Rome, 1930.
• G. LUGLI, Il centra monumentale, G. Bardi, 1946.
• G. LUGLI, Le Forum et le Palatin, G. Bardi, 1966.
• A. MERLIN, L'Aventin dans l'antiquité, Paris, 1906.
• C. MOATTI, A la recherche de la Rome antique, Découverte Gallimard, 1989.
• U-E. PAOLI, Vita romana, Desclée de Brower, 1960.
• S-B. PLATNER, T. ASHBY, A topographical dictionary of ancient Rome, Oxford, 1929.
• C. PIETRANGELI, Il Campidoglio, Florence, 1966.
• L RICHARDSON, A new topographical dictionary of ancient Rome, The John Hopkins University Press, 1992.
• R. RODOCANACHI, Le Capitole romain antique et moderne, Paris, 1905.
• F. SCAGNtl 11, Roma urbs imperatorum aetate, Rome, 1985.
• R.TURCAN, Héliogabale et le sacre du Soleil, Payot, 1997.
• V-W. VON HAGEN, Les Voies romaines, Hachette, 1967.
• M. WHEELER, L'Art romain, Larousse, 1965.

마지막으로, 로마 문명박물관 큐레이터 마토 여사를 언급하지 않을 수 없다. 그녀의 도움은 내게 매우 소중했다.

목차